关于上班这件事

朱德庸◎作品

中信出版社
CITIC PUBLISHING HOUSE

自序

敲石头与摸鱼打混

◎朱德庸

不管你住在地球的哪一面，每天早上九点钟走上街道，你会看到这座城市里最庞大的一个族群正快速移动而去。到下午五点钟，这个族群会再度回来。每一座城市，每天。

是的，他们是本世纪人类在制度上的最大发明，他们是男人族群与女人族群之外最大的一个族群，他们每天都在为关于上班这件事烦恼或快乐。

很奇怪的是，我们生活的这个时代，上班这件事重要过以往任何时代。每个城市里，温婉独行的家庭主妇变少了，油头粉面的西城恶少变少了，衣香鬓影的淑女绅士变少了，长袍行吟的诗人书生变少了，只有西装革履的上班族变得越来越多了。这是一个企业的生命比我们的人生值钱、老板的指示比老婆的指令严重的时代——办公室变成我们人生最重要的场所，喜怒哀乐、是非成败都发生在这里；上班这件事变成我们人生的主体，个人风格只是次要的附属品。大部分人们活得像钟面上的指针，滴答滴答，日复一日，跑都跑不掉。

当然，现代人其实要的很多，付出这样的代价，人们要的是在上班这件事里寻求自己的定位、自己的价值，还有，别人的肯定和别人的认同。除了老板用他的钱来换取你的人生，你用你的人生去换取他的钱之外，上班这件事在某种程度上确实有它的意义。只是，任何有意义的事都仍然有其荒谬成分，就看意义和荒谬之间的对比到底有多大了。

对我个人来说，光是每天固定上班八小时（有人甚至更多）就荒

谬得令我害怕。上班族所谓的成就感，在我看来更像是一个奴工辛勤敲打完一块大岩石后对着自己说："嗯，这块石头敲得不错。"却忘记了他脚上的镣铐和满手的老茧。

那么，平衡点在哪里呢？

我觉得，上班这件事就像婚姻一样，你需要它，但它其实违反你的天性。比起分秒必争的高效率工作，办公室里的摸鱼打混才是更接近人们天性的，就像婚姻里的男人女人还是会渴望甚至实验其他的爱情一样。现代人在一天上班八小时这件事上加了太多附加价值，每个人都想攀着企业这只大气球飞上蓝天，企业倒过来加在个人身上的各种管理制度，却把大伙儿都变成了转轮上的老鼠，每天对着悬挂在自己鼻子前的红萝卜跑上八小时或是更久，渐渐忘了工作本质里最单纯的、无目的的乐趣。

人会结婚，因为多少有点犯贱；人会工作，因为多少能耍点贱。如果我们抛开成功、效率之类工作魔咒，在上班这件事上多一点摸鱼打混，把它变得更单纯；在人生这件事上多一点品质管理，把它变得更丰富，也许我们终于能为这个时代大多数人找出一些比较好的平衡点。

二十九岁那年的一个夜晚，我走路去上班。那是我第一份工作，时数少待遇高的报社漫画编辑。已经迟到很久了，我却越走越慢。我计算了一遍之前的岁月，竟然有二十五年我在上学退学、补习班军队和办公室之间度过，因为我必须做别人认为我必须去做的事。第二天我辞职了，我不愿意再花另一个二十五年必须去上班。

十五年过去了。就某种程度来说，现在的我依然是个上班族，因为我每天还是必须花固定的时间在桌前作画。只是，那是我的书桌，不是别人给我的办公桌。

也许，这就是我在上班的意义和荒谬之间选择的平衡点。就像面对婚姻一样，如果非要不可，你总可以选择一种适合你自己的方式吧。

谨以此书献给曾经或即将和我一样辛苦面对上班这件事的读者们。

朱德庸档案

有关个人

朱德庸・江苏太仓人・1960年4月16日生・世界新闻专科学校
电影编导科毕业・专职漫画家

有关著作

双响炮・双响炮2・再见双响炮・再见双响炮2・霹雳双响炮・霹雳双响炮2
麻辣双响炮・醋溜族・醋溜族2・醋溜族3・醋溜CITY・涩女郎・涩女郎2
亲爱涩女郎・粉红涩女郎・摇摆涩女郎・大刺猬・什么事都在发生

现有连载专栏作品

涩女郎・关于上班这件事・绝对小孩・醋溜PARTY
朱德庸的目光・错误示范

目录

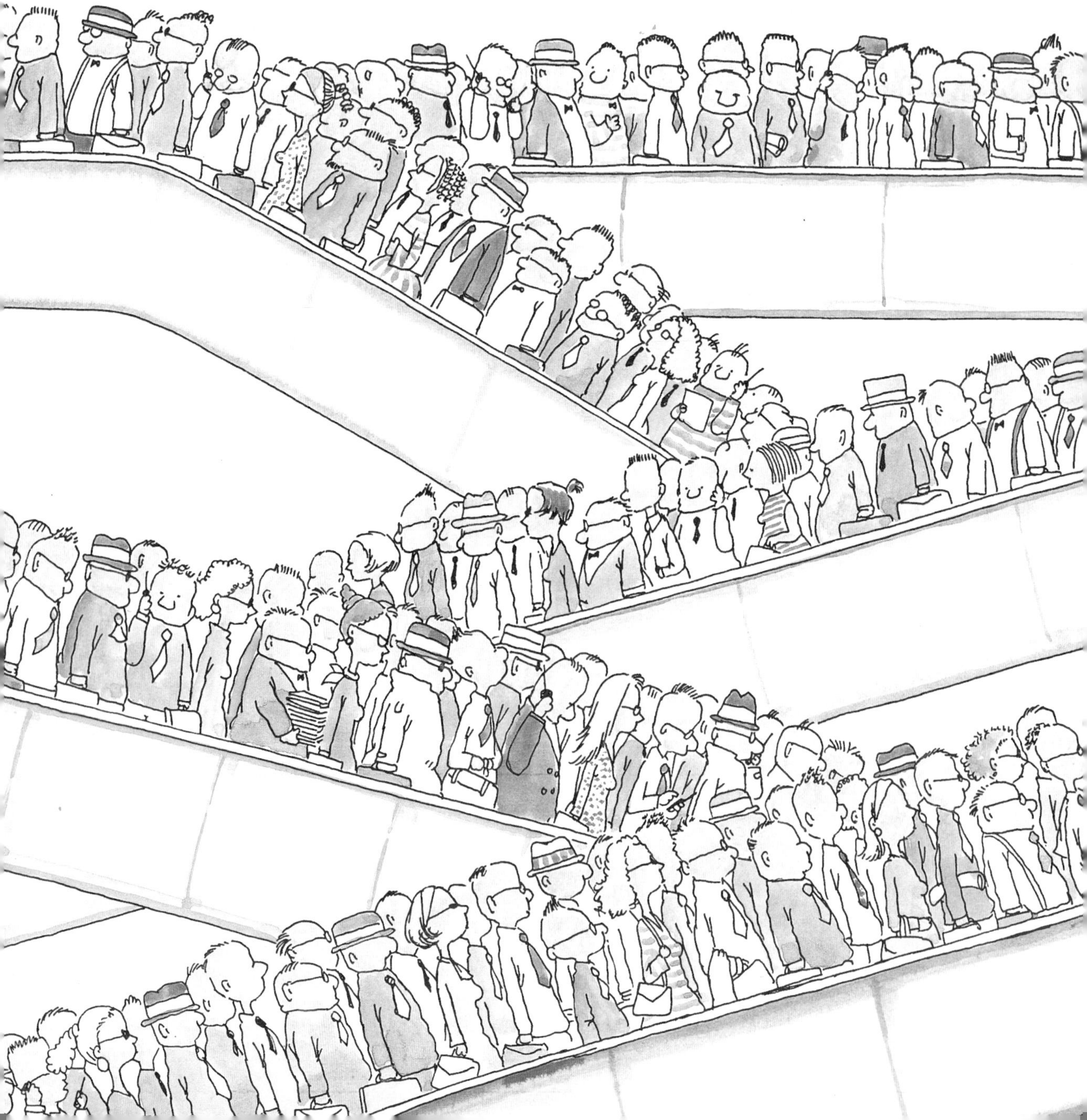

WEST
EAST
NORTH
SOUTH

1

关于上班这件事

说到每天上班8小时这件事，其实是本世纪人类生活史上的最大发明，也是最长一出集体悲喜剧。你可以不上学，你可以不上网，你可以不上当；你就是不能不上班。

狗屎进化……
为什么一上班你
就退化回去了！！

公司
划！划！
我们有我们的尊严！
好，时代变了，我给你们尊严。
业绩！业绩！

职员用手创造业绩……
主管用嘴创造业绩……
老板用脚创造业绩……

人生是什么？
人生就是迷宫。
什么意思？
你花了前半生找入口，
然后花后半生找出口。

出口
出口
出口
出口
出口
服刑届满，
你自由了。
城征
员工

有没有老板控制你的白天，
有没有老婆控制你的夜晚，
有没有老实控制你的人生。

上帝创造了人类这个族群，人类创造了上班这个族群。

上班就是化妆一小时，补妆一小时，保养一小时，打电话一小时，回电话一小时，冥思一小时。
上班就是老板需要我给他足够的理由开会，我需要老板给我足够的理由开溜。
上班就是一天可以做不完一件事，却不可以不喝完一杯咖啡。
这就是我们的上班生活。

报告。
报告。
报告。
我现在相信你老板是个很难缠的家伙。

人生的意义在于工作，
工作的意义在于薪水，
薪水的意义在于打混。

发财是每个上班族的梦想，
发呆是每个上班族的心愿。

- 成功的男人背后一定有一个伟大的女人，
成功的老板背后一定有一群倒霉的员工。
- 男人要的是房子、车子、办公室里的位子。
女人只要男人是个傻子。
- 你被尊重的程度和你薪水袋的厚薄成正比。

把你能看到的数目字念出来。
1…4…7…0…2…
很好。
这就是你的起薪。

没有……
没有……
唉……
唉……
上班族

每天要喝不一样的咖啡，上不一样的馆子……
交不一样的情人，坐不一样的公车……
和不一样的人闲扯，摸不一样的鱼，打不一样的混……
每天上班有这么痛苦吗?!
所以每隔一阵子，就会换不一样的老板……
开除

- 时间就是金钱，但一个人没找到工作前，时间可一点都不值钱。
- 现代人的迷思在于：你要做大公司里的小职员，还是小公司里的大职员？
- 职员写日记，老板写传记。

● 人类惟「二」胜过上帝的，就是创造出各种骗人的商业模式，还有，发明了上班。

● 所谓现代的商业模式就是：下班后你会心不甘情不愿地被骗钱，上班后你会心甘情愿地骗别人的钱。

行行好，赏点钱吧。
行行好，赏一些吧。
等老板给我加薪后再说吧。
行行好，多赏点薪水给他吧。
唉，每个月的钱都不够花。
你一个月多少钱？
二十万。
什么！二十万薪水！
是加上我三个男朋友的薪水。

唉，真希望能像小鸟一样自由翱翔……
咻
我该去上班了……
竟有这种老板！
你又比我晚到！

021

- 老板都希望员工能为公司而死，其实员工只会为薪水而死。
- 员工分成聪明的和愚笨的两种，后者打瞌睡时会被逮到。
- 人生不是单纯的加法或减法问题，薪水才是。

关于上班这件事

● 一个人读二十年书会成为哲学家。
一个人上二十年班会成为哲学家研究的疯子。

● 有人为了爱情自杀，有人为了婚姻自杀，有人为了名誉自杀，但很少有人为了工作自杀。
因为工作本身已经是一种慢性自杀行为了。

哼，老板算什么东西！
对呀，哼，老板算什么东西！
混什么，还不快去干活！
唉，老板是个让人跑东跑西的东西……
做老板真辛苦，每天赶三点半。
铃
下班啰！
做员工也很辛苦，每天赶五点半。

023

●上天要毁灭一个人，会先让他成为上班族，然后再让他的老板把他搞疯。

●两点间最远的距离，就是职员与老板对看的距离。

●员工整死老板的三种方法：装傻、装病、装乖。老板整死员工的一种方法：装穷。

呀，强盗！
你戴头套，你也是强盗吗？
我不是强盗，我是老板。
哦，那是另一种形式的强盗。

唉，如果一周只要上一天班就好了……
唉，如果一年只要发一次薪水就好了……

- 相信成功的人会得到事业，相信事业的人会得到老板。
- 老板永远都会为公司的前景画大饼，员工却永远都是饼上的芝麻粒。
- 天下没有愚蠢的员工，只有装傻的员工。

去上班！
不要上班！
去上班！
不要上班！
天呀，已经五点半了。
下班了……
解脱了……
上班啦！你的位子在那儿。

我老板又换新车了。
我老板也换新车了。
我老板也是。
为了平衡一下，我们也该换个新的公车路线了……

人生的目的是什么？
做一个有用的人。
不是，做一个有钱的人。

● 上班族不会在意公司账面上是否少几个零，只会在乎自己薪水袋里有没有少一个零。

● 能力和薪水不见得成正比，但要诈的能力绝对和薪水成正比。

● 有能力的人努力工作，没有能力的人假装工作。

上班到底为的是什么？
实现自我。
得了吧，你整天打混摸鱼，从未好好上过班！
没错呀，我就是在实现自我。
我会成功！
我一定要成功！
铃
唉，能成功地准时起床上班就不错了……

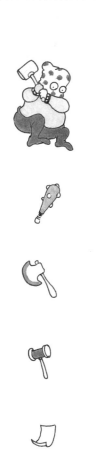

如果下雨，今天就不去上班。
如果继续大太阳，今天就不去上班。
老天比老板还贱……
如果下雨就不要去上班了。
如果出太阳也不要去上班。
如果是阴天也不要去上班。
唉，忘了说如果下雪也不要去上班……

关于上班这件事

●各位先生女士：绷紧您的神经，穿好您的铠甲，拿好您的盾牌，装好您的武器，准备上班啰。

●上班生涯如同玩轮盘赌，庄家就是老板，他永远对你说：下次运气会更好。

●在现代公司里，能者不是多劳而是脱逃。

我恨我的工作，更恨因工作而必须接触的人。
总之，我恨所有跟我工作有关的事物！
哪，发薪水了。
我更恨我的工作了……
BANK
BANK
铃
BANK
铃
抢钱坐二十年牢，不抢钱坐三十年办公桌。

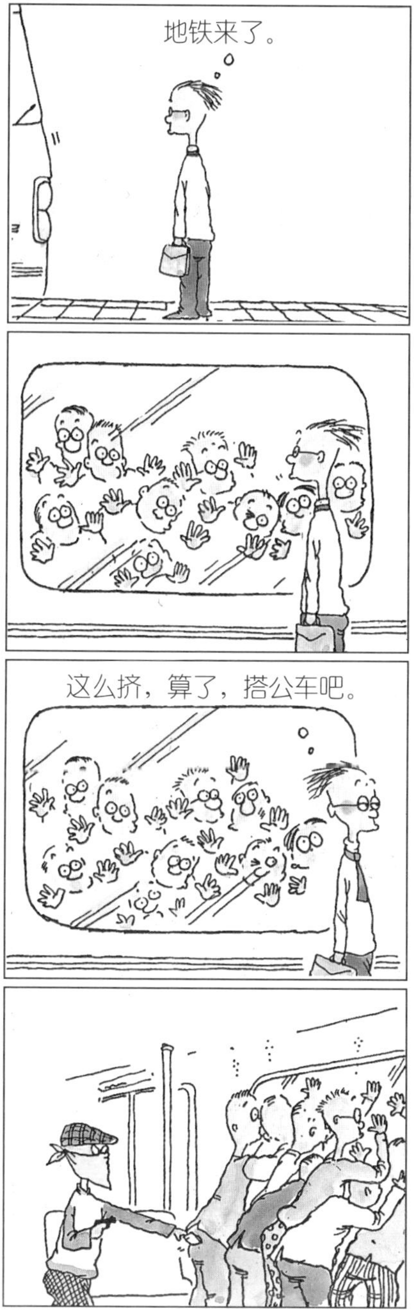
地铁来了。
这么挤，算了，搭公车吧。

不许动，钱是公家的，命是自己的！
命是自己的，但钱是呆子的。
呆子的？什么意思？
你这个月薪水被抢了。

029

●上班和工作其实不一样。后者可能是你自己想要做的，前者必然是你的老板、你的老婆或是你的老妈要你做的。

●员工喜欢中午外出用餐，因为那是他们惟一能开口挑剔的时候。

●下班第一杯啤酒，消除你一天的紧张。
下班第二杯啤酒，消除你一天的不满。
下班第三杯啤酒，消除你一天的无奈。
其余的啤酒，消除你一天的记忆。

●加薪多少和工作量无关，和你的脸皮厚薄有关。

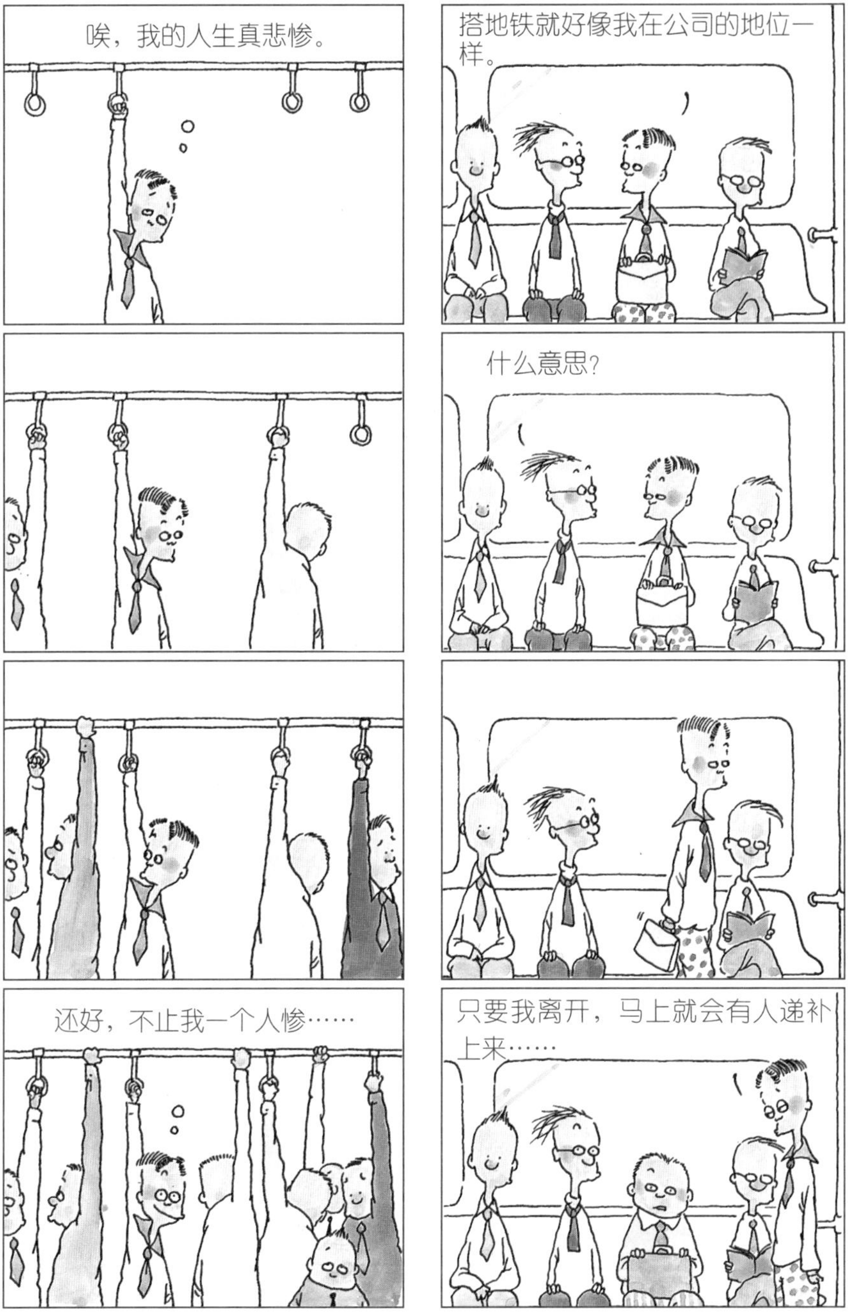
唉，我的人生真悲惨。
还好，不止我一个人惨……
搭地铁就好像我在公司的地位一样。
什么意思？
只要我离开，马上就会有人递补上来……

有钱人跟穷人到底有什么差别?
还混什么，都几点了?!
有钱人每天刷卡，
穷人每天打卡。

老板，打卡钟坏了。
人工打卡做记号也行。

031

● 上班时你可以在办公室使坏，但绝对坏不过你的老板。

下班后你也可以在家里使坏，但绝对坏不过你的老婆。

● 职员就像闪光照相机，不按一下是不会灵光的。

关于上班这件事

●顾客永远是对的，职员永远是错的；
老板永远是奸的，薪水永远是低的。

●上班是幸福的，
领钱是幸运的，
看到别人被炒鱿鱼是幸灾乐祸的。

快起床！
快上班！
快工作！
快发薪水。

人生在世短短数十年，有什么好上班的。
那不上班要做什么呢？
打混呀。
那跟我在上班有什么不同？

我不要上班！
我说什么也不要上班！
我决定今天绝对不去上班！
唉，每当你下定决心，就刚好碰到星期天……
25
SUNDAY
老板，我想请三天假做身体检查。
老板，我需要检查的地方更多了，三天可能不够。

世界在玩金钱游戏。你想尽办法把你每个老板口袋里的钱搬到你自己口袋，你每个老板也会想尽办法把你口袋的钱用各种名目扣回他们的口袋。

谁说做梦赚不到钱？上班族打瞌睡照样能领到薪水。

●老板靠员工赚钱，员工也靠老板赚钱，两者之间的关系就如同绞肉与绞肉机。

●女人中的女人，必定是指一位美女。男人中的男人，如果不是指一位老板，就是指办公室里一群上班族中的一个。

书上说人过了四十岁就该为自己的脸负责。
那是指女人而言。
男人呢?
应该由老板付的薪水多寡负责。

老板，我的神经再也受不了。
我必须要请假透口气，不再看到这些公事。
那好办，交给我。
又在下雨。
既然下雨，今天就别上班了。
神经病。

035

- 尊敬你的老板，接受你的薪水，专注你的工作，你死后一定会上天堂。——因为你活着的时候可是在地狱。
- 许多上班族其实不是用能力去赚钱，而是用自己的人生去换钱。

● 我工作，所以我存在——一个上班族的心声。
我领薪，所以我存在——一般上班族的心声。
我解雇，所以他们都不存在——一个老板的心声。

● 工作就像巧克力一样，太多了会让人发胖。

你怎么又迟到?!
因为下大雨。
胡说，气象报告说今天是大晴天!
那你叫气象预报员来上班。
气象台说目前正在刮十五级的强风，应该停止上班。
胡说!
撕
内裤还在，继续上班!

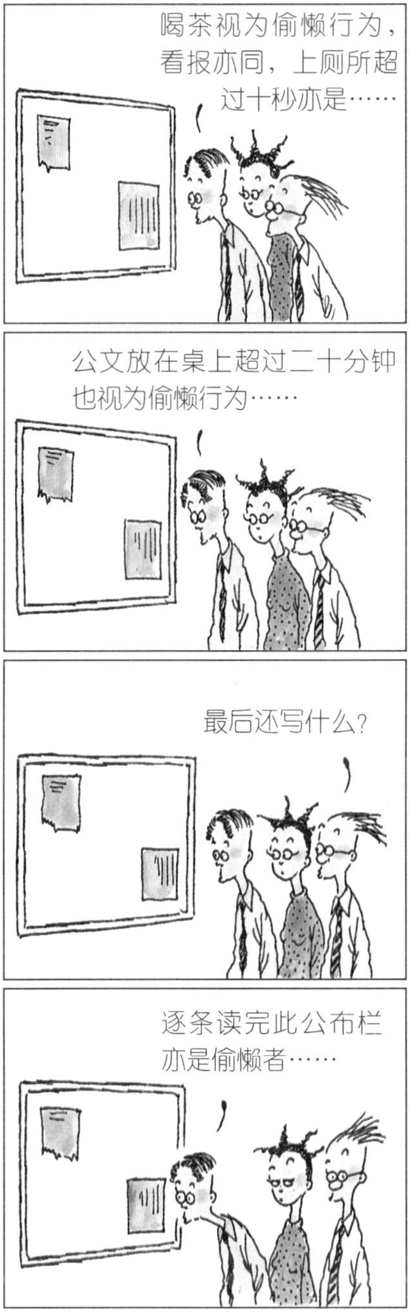

喝茶视为偷懒行为，看报亦同，上厕所超过十秒亦是……
公文放在桌上超过二十分钟也视为偷懒行为……
最后还写什么？
逐条读完此公布栏亦是偷懒者……

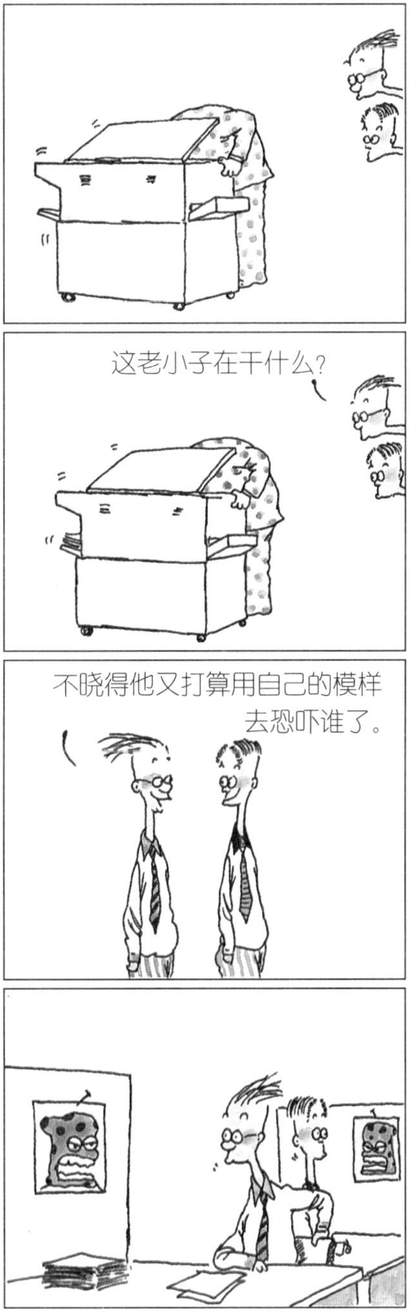

这老小子在干什么？
不晓得他又打算用自己的模样去恐吓谁了。

● 选老板和挑老婆一样，和你当初想要的差了十万八千里。

● 不停换工作就像不停地结婚、离婚一样，最后你会发现：下场其实都差不多。

● 有钱人和穷人最大的差别是：有钱人没有老板。

喂，今天下班你打算怎么混？
拜托，现在才刚上班。
喂，今天上班你打算怎么混？
不要摸鱼！
不要摸鱼！
不要摸鱼！
海产店
神经病……

不要上班！
去上班！
不要上班！
去上班！
今天是星期日。
去上班！
不要上班！
上班很有意思。
上班没有意思。
有意思！
没意思！
嘿，有意思。

- 职场的生存法则和婚姻的生存法则一样：永远不要擅自作决定。
- 想办法和老板把关系搞好，对其他同事把关系弄好只是为了中午吃饭有人聊天。
- 地球是圆的，所以你会在跷班途中遇见老板。

哇，接二连三企业发生财务危机……
唉，我一辈子也赚不到他们那么多钱。
乐观一点。
你一辈子也赔不了他们那么多钱。

你做得太慢了！
IN
OUT
你做得太快了！

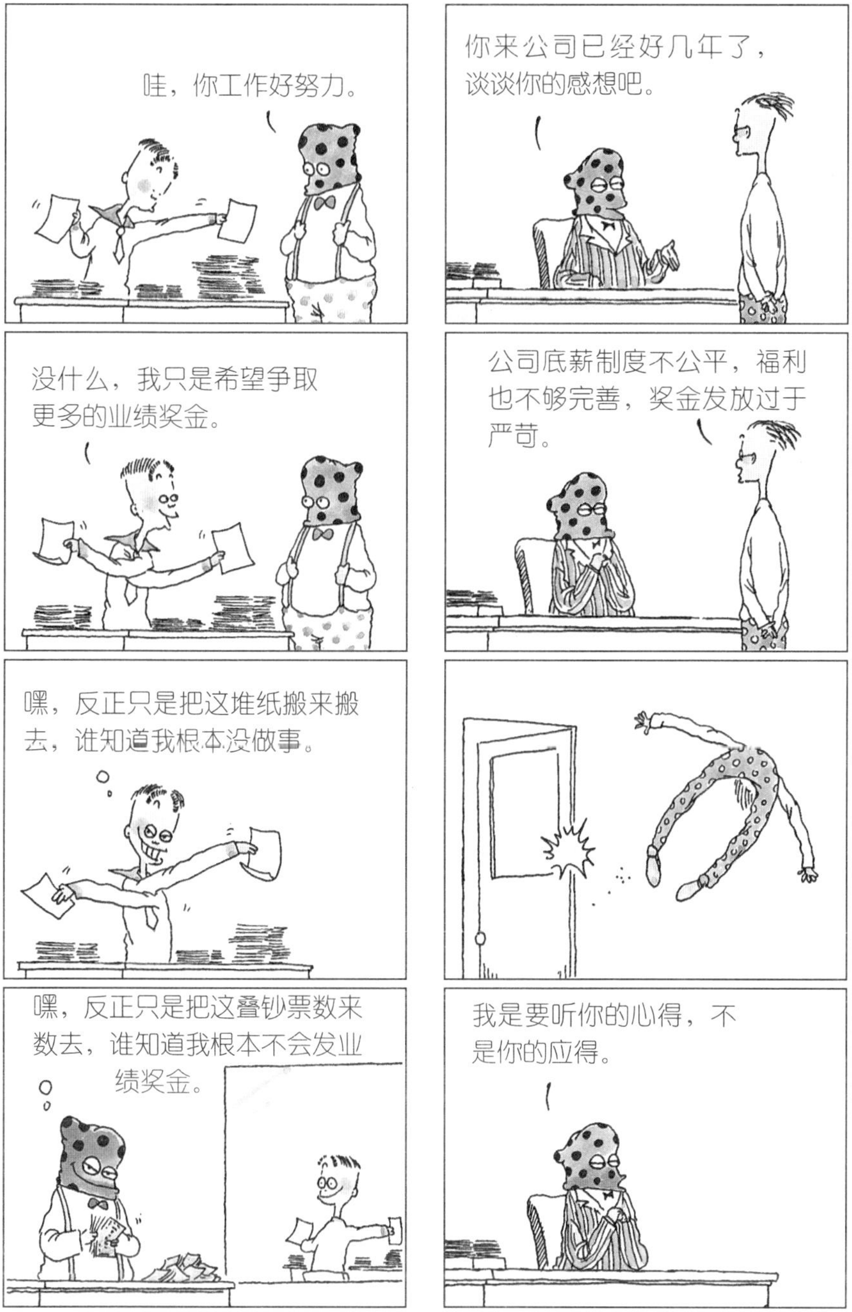
哇，你工作好努力。
没什么，我只是希望争取更多的业绩奖金。
嘿，反正只是把这堆纸搬来搬去，谁知道我根本没做事。
嘿，反正只是把这叠钞票数来数去，谁知道我根本不会发业绩奖金。
你来公司已经好几年了，谈谈你的感想吧。
公司底薪制度不公平，福利也不够完善，奖金发放过于严苛。
我是要听你的心得，不是你的应得。

●职员就像一只对主人摇尾乞怜的狗，不同的是这个主人会在小狗腿旁撒尿。

●薪水光是用岁月去换是不够的，有时还必须用灵魂去换——一个上班族如是说。

●职员希望多薪水，老板希望你多辛苦。

九大不能找的老板：

(1)应征时紧盯你不眨眼的人。

(2)嘴角残留着午餐油渍的人。

(3)衬衫领口已磨破的人。

(4)正眼不看你或斜眼瞧你的人。

我觉得本·拉登比较值得同情。
我觉得布什总统比较值得同情。
出纳
哪，这个月薪水。
出纳
我觉得我比较值得同情……

你为什么要跟我分手？
因为你的薪水。
天呀，难道你就不能换个顾
到我尊严的说法！
因为别人的
薪水。

先生，同情
同情我吧。
没问题。
我钱没有，同情倒是不
少，你要哪一种同情？
有人同情我是小伙计，有人同情
我是老板的受气包，也有人同情
没女人要嫁给我……

为了提升竞争力，公司决定
按考绩给予适当训练。
那我该受何种
训练呢？
你考绩是C等，请到C部门。
首先，双手高捧饭
碗，表情哀凄……
C

(5) 办公桌一尘不染的人。
(6) 朝你脸上吐烟圈的人。
(7) 认识你前任老板的人。
(8) 认识你现任情人的人。
(9) 拥有一个丑秘书的人。

九大不能请的伙计：

(1) 不知道现实为何物的人。

(2) 看起来像老板的人。

(3) 资历太浅的人。

(4) 资历太深的人。

老板，行行好，赏点钱吧。
没出息，自己想办法！
BANK
没出息，自己想办法！
贷款部

公司这种开放式的办公空间让人没有一点隐私。
对于员工的创造性也有致命的影响，大家相互干扰不胜其烦。
没问题，立刻给你们一个隐密而不受干扰的办公空间。

我的红墨汁用完了。
复印机故障了！
还是故障。

(5) 认为自己鸿运高照的人。

(6) 认为自己怀才不遇的人。

(7) 相信好人有好报的人。

(8) 每周换女（男）朋友的人。

(9) 认识你老婆的人。

上班族耍懒定律

1. 随时随地把自己装得很忙碌，否则会有装得比你更忙碌的人把工作塞给你。
2. 把自己装得很忙碌，但绝不要让别人知道你在忙什么，因为人们总是对自己不清楚的事心存敬畏。
3. 尽量少做事，大部分的人分不清楚无能与没空之间的差别。
4. 时间就是金钱，但那可是老板的金钱。
5. 凡事睁一眼闭一眼，打瞌睡时尤须练就此一本事。
6. 事不关己就别插手，事若关己赶快赖给别人来插手。
7. 如果出了差错，先别管错在哪里，先弄清楚自己涉入多少。
8. 耍懒也许让你在工作上没什么成就感，但会让你领薪水时颇有成就感。

▶《Warning》上班族出错6大法则

1. 别企图第一次就把事情做对，否则以后任何事你都只能有一次机会。
2. 把事情做对，花的时间少。把事情做错，花的时间更少。
3. 任何错误的发生率都占百分之五十，所以凡事做到一半就赶快停下来。
4. 错误本身就是一种无性生殖，它会毫无原因地不断产生。
5. 会出错的地方一定会出错，不会出错的地方则无人注意。
6. 事情会不停地出错，直到错至高层主管时，该错误就会烟消云散。

▶上班族Trouble办公室理论

1. 凡有错必付出代价，问题是付出代价的未必是犯错之人。
2. 谣言止于智者，而不止于主管。
3. 主管提出的答案不会解决问题，只会衍生出更多新问题。
4. 最终决策权必定落在最不清楚状况者之手。
5. 办公室充满麻烦是常态，一旦两周内不发生任何麻烦，接着必有大麻烦。
6. 切记：如果有麻烦，千万不要找老板，因为他才是最大的麻烦制造者。

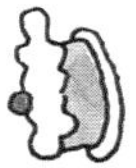

▶ 上班族Trouble不见定律

1. 自己的问题只要拖得够久，就会变成别人的问题。
2. 别人的问题只要拖得够久，就会变成公司的问题。
3. 公司的问题只要拖得够久，就会变成大家的问题。
4. 大家的问题只要拖得够久，就会消失不见。

▶ 《Warning》上班族主管防笨定律

1. 所有的笨蛋，都会聚集在同一家公司。
2. 百分之八十的笨蛋，都会集中在你这一组。
3. 每个单位笨蛋超过百分之八十时，主管会跟着变笨。
4. 剩下的笨蛋，将会在下一次应征时，进入这一家公司。
5. 笨蛋如同炸弹，一旦启动会把公司搞得天翻地覆，还会引起连锁反应徒增其他笨蛋跟着引爆。
6. 据研究，笨蛋人数比例为八成，若应征人数不满八人时应立即喊停。

▼上班族
寻找正确老板9大哲学

1. 别找比你胖的老板，有可能他是靠剥削员工自肥的老板。
2. 别找比你瘦的老板，瘦的人多半精力过人，他会让你难以摸鱼打混。
3. 别找记忆力超强的老板，他永远会记得员工犯错的部分。
4. 精明的老板会让你领不到薪水，愚蠢的老板会让自己发不出薪水。
5. 明理的老板通常只明白他自己的道理。
6. 笃信分层负责的老板最爱问：这档事是谁干的?!
7. 巨细靡遗的老板自己不会得到精神衰弱，但会让你得到。
8. 重视内部和谐的老板必定第一个把你牺牲掉。
9. 切记：男职员找女老板，女职员找男老板，性别弄不清楚者自己当老板。

● 悲剧不见得天天都会发生，它只会发生在周一到周五早上九点至下午五点之间——一个上班族如是说。

● 据研究，喜剧发生的几率只有三十分之一，所以老板一个月发一次薪水是有其理论基础的。

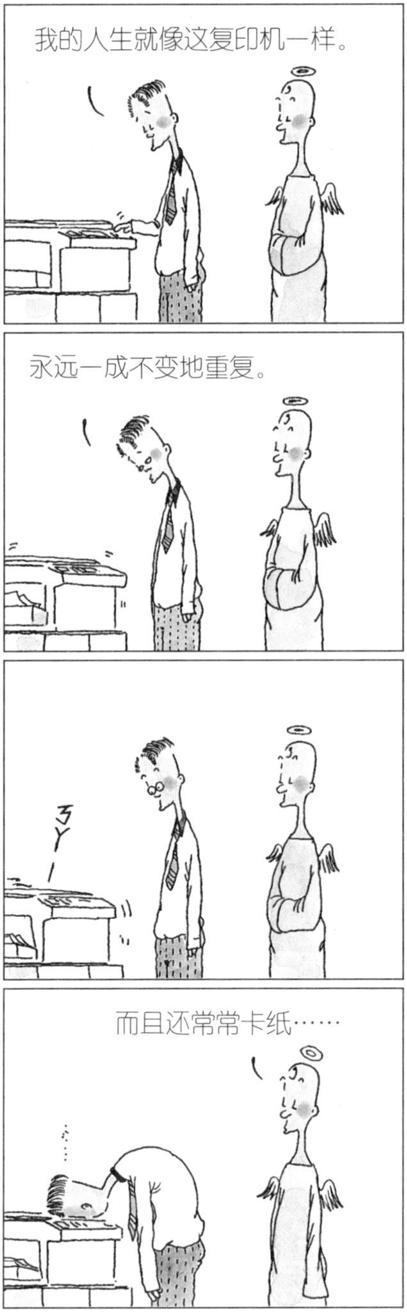
我的人生就像这复印机一样。
永远一成不变地重复。
而且还常常卡纸……

凡事往好处想，有的人还没机会上班呢。
说的也是，我心情好多了，哪些人连班都没得上？
富翁呀，贵族呀，老爸有钱的凯子呀……

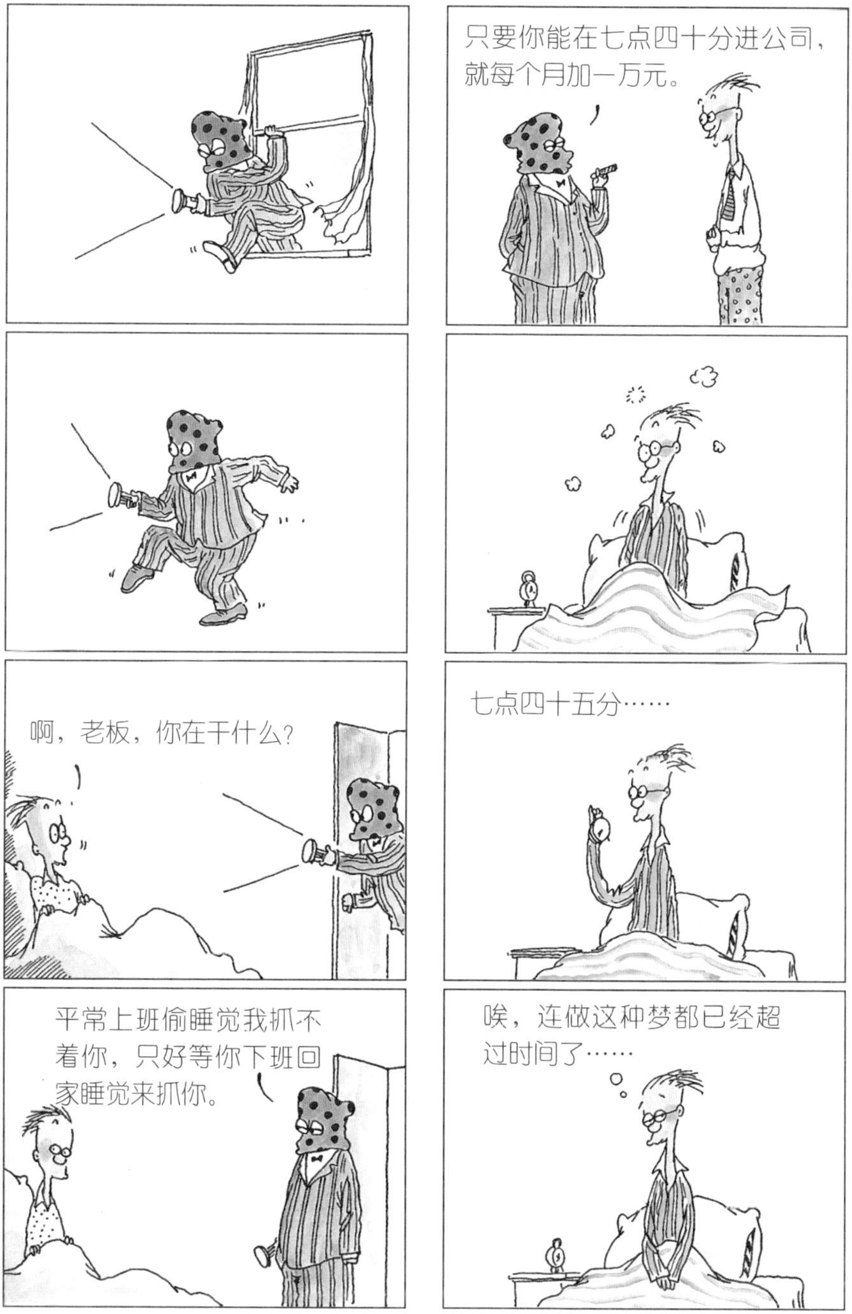

啊，老板，你在干什么?
平常上班偷睡觉我抓不着你，只好等你下班回家睡觉来抓你。
只要你能在七点四十分进公司，就每个月加一万元。
七点四十五分……
唉，连做这种梦都已经超过时间了……

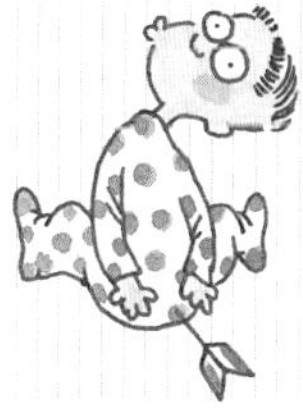

051

●职员就像蚂蚁，整天爬来爬去忙碌个不停。

老板就像蜜蜂，整天飞来飞去也忙碌个不停，不同的是他会不时地叮你一下。

●每个人都想做老板，但没有人想做发薪日那一天的老板。

●如果你把一生的薪水除以你一生的天数，你就会明白：奴隶制度从未被废除过。

●所谓老板就是：穿得比你好，车子比你贵，房子比你大，老婆比你的漂亮，钱赚得比你多，上班时数却比你少的人。

又在打瞌睡！
我虽然在打瞌睡，但我在梦里一直在加班。
哦，是这样吗。
你被开除了，麻烦你在梦里领遣散费吧。
这个月我只付得出一人份的薪水，你们自己商量吧。
这个月我也只付得出一人份的医药费。

053

●在一个公司里，老板的权力和笨蛋这二者都会趋向极大化。

●员工分成傻瓜和才华横溢的傻瓜两种。

●老板和员工之间始终处于一种欺骗状态：老板骗员工的人生，员工骗老板的薪水。

帮帮忙，我只是想小额贷款。
贷款部
小额贷款在另一边。
贷款部
想贷多少？
哈，我的运气比你好，我撞到的是“诚征经理”。
搬运工
经理

啪
啪
在家，老婆最大，在公司，老板最大。
只有在家里与公司之间的路上我最大……
唉，人生的意义何在？
发薪水了。
唉，人生的意义何在？

拜拜，我下班了。
我走了，明天见。
辛苦了。
都是你啦！一定要小额的，
耽误我下班。

你每次考绩都得B，难道你
就拿不到A吗！
唉……
你每年感冒都得B型，难道
你就得不到A型吗！
唉……

● 哪里有钱，哪里就有企业。哪里有企业，哪里就有一群蠢员工和蠢老板。

● 老板和亲戚一样，自己的和不是自己的，你会分得很清楚。

● 上班族升官三要素：高学历、厚脸皮、贱手腕。

哈啾，我得了A型感冒……
哈啾，我得了B型感冒……
哈啾，我得了C型感冒……
我没感冒，但我每天对他们都很感冒。
唉，工作这么多，累死我了……
唉，应酬这么多，累死我了……
人生这么无奈困苦，不如自杀算了。
唉，阶梯这么多，累死我了……

上班时间老是迟到，你给我滚！
唉，人生无趣，不如自我了断吧。
自杀时间老是迟到，你也给我滚！

为什么有钱人越来越有钱，穷人越来越穷！
这个世界就是这样。
那我是会越来越有钱还是越来越穷？
都不是，你只是越来越会发牢骚。

057

- 坏消息职员永远最后一个知道。好消息老板永远第一个知道。属于你个人的坏消息，则你永远不会知道。
- 老板和员工并不尽然都是对立的，有的老板会叫员工用跪的。

好老板遇上好职员就会变坏，
坏职员遇上坏老板就会变乖；
好老板遇上坏职员就会发疯，
坏老板遇上好职员就会发财。
大老板会盖银行，小职员想抢银行。

我一进办公室就手心渗汗，头昏脑胀，心神不宁。
你得了现代人焦虑症。
那要怎么办?
医师说如果我不当现代人就不会得焦虑症了。

这是我做的企划。
嘶
这是今年的财务报表。
嘶
这是市场的评估报告及因应方案。
嘶
老板这辈子一定是碎纸机投胎。

薪水太低，福利太差，赏罚不公……
管理方式不人道，休假制度不健全……
各位的宝贵意见给了我很好的改进方向。
从明天起取消意见箱。
这是员工的宝贵意见。
建议加薪5%，分担购房贷款30%，三节奖金增加20%……
呸！
这不是宝贵的意见，是很贵的意见。

老板之间比谁的公司大。

员工之间比谁的薪水多。

老板和员工之间比谁的脸皮厚。

人和人之间是永远无法平等的。

不信你偷看一下同事的薪水袋。

●老板八十·二十定律：

百分之八十的老板需要你上班十二小时，才会给你薪水；

百分之二十的老板需要你上班八小时，才会给你薪水；

这是脑波侦测器，我可以藉此知道你们在想什么！
别再想昨晚艳遇！别再想春装打折！快干活！
你脑袋空空，什么事也不想，公司怎么会有这号蠢蛋！
天呀，这东西实在太可怕了。
这东西实在太可怕了。
嘿，吓够他们了，先收起来吧。
天呀，这东西更可怕。

这里也有监视器……
又在打混！
那里也有监视器……
今天第三次了！
哼，我出去办事总可以了吧！
又偷喝咖啡！
等一下，我调一下镜头。
奇怪？我的监视小精灵呢？
叛徒

061

百分之八十的老板希望你一个人当十个人用，才会给你升职；

百分之二十的老板希望你一个人当两个人用，才会给你升职。

上班族嘴角微笑的弧度与薪水多寡成正比。

关于上班这件事

● 现代人和原始人的差别在于：原始人在原野上杀死敌人，现代人在办公室斗死敌人。

● 女人会花百分之三十的时间谈论自己的前途。男人会花百分之七十的时间谈论自己的前途。老板不会花任何的时间谈论你们的前途。

世上有圣诞老人！
世上没有圣诞老人！
有！
没有！
算了，你就让他吧，看老板气成那样子。
你懂什么！如果世上没有圣诞老人，我们二十五日那一天就要上班！
我决定圣诞节那一天要加班！
但圣诞节那一天应该是充满了圣诞气氛的！
说的也是。
这样够圣诞气氛了吧，快加班！！

可恶，这些公司又传来一堆垃圾广告！
我也传一堆垃圾回去给他们瞧瞧！
我的照片……

上班混老板的时间。
下班混自己的时间。
加班呢？
唉，大家混大家的时间……

● 每个人都有他的价值，至于金额的高低就由老板们决定了。

● 如果一个人够聪明，他就会有钱。如果一个人够愚蠢，他就会有老板。

● 履历表是一个成年人最后的撒谎机会。

●一天拼命工作十二小时，你会获得非凡的成就，之后那些成就会记录在你的诊疗书上。

●人没有办法同时赚钱又同时花钱，所以我们需要一个老婆。

——上班族老公如是说。

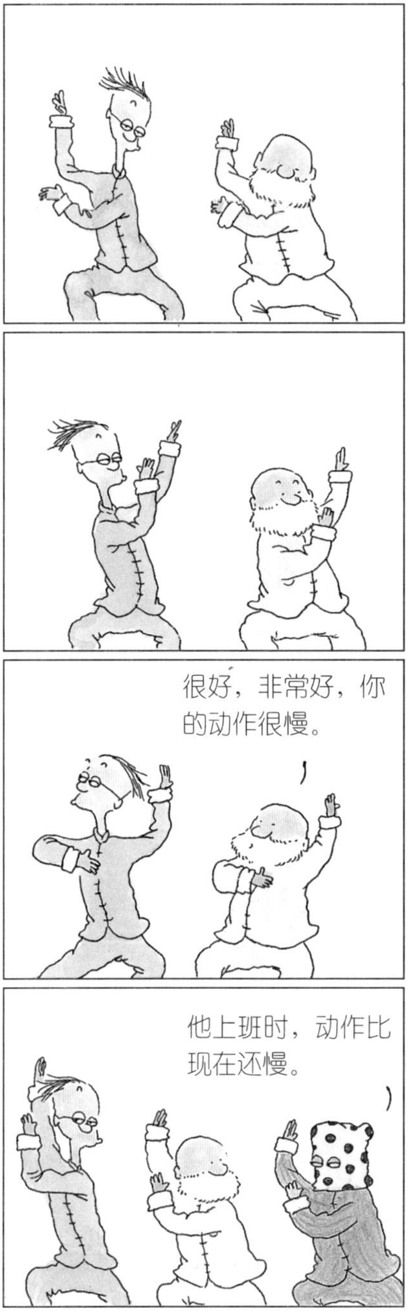
很好，非常好，你的动作很慢。
他上班时，动作比现在还慢。

混什么混，还不快回去上班！

唉，人生真不公平。
像我这种小职员一辈子也结不了婚。
人生是公平的。
上天让你被老板欺压就不再让你被老婆欺压。
你能让我当一下企业家过过瘾吗？
没问题。
轰叭几啦呱……

●所谓相对论就是，当老板发薪水、员工领薪水后，两者之间的争论。

●不论发薪日是哪一天，所有的账单都会在一周内全部寄到。

●大富由天，小富靠命——靠你卖命。

这就是今年的业绩！我希望你能让它爬起来。
这是什么？
我的心脏病证明，我不适合做任何爬坡。
下次梦游千万别遇到老板……

你爱我吗？
爱。
你在公司是什么职位？
不好意思，还是个小职员。
你显然还不够爱我。

为了节省公司开支，以后规定只有工作时才准开灯！
但……但是我们希望能不工作时开灯。
没什么但是不但是，违背者一律开革！
好吧，那我们洗相片就只好开着灯了。

●每个老板都希望有一堆努力的员工，每个员工都希望有一个别叫他们努力的老板。

●员工黑白讲辞典：

(1)我愿意为公司牺牲一切。（其实是牺牲公司的一切。）

哪，今年的年终奖金。
什么！才五百元！至少也该再加一个零吧！
500
没问题。
0500
我们来玩一种叫“老板换人做”的游戏。
从现在起，你就是老板，觉得如何？
好呀，听起来很有趣，这游戏要玩多久？
玩到把这一队讨年终奖金的员工解决掉。

把年终奖金交出来！
把年终奖金交出来！
把年终奖金交出来！
不该发的钱终究会回来。
我正在用心电感应来感应你今天的工作进度。
你到目前为止除了喝三杯茶，上了二次厕所，什么也没做！
好可怕的心电感应，我再也不敢打混了。
唉，满足不了他的进度，至少能满足他的心电感应……

(2) 加班绝无问题。（问题是加班费。）

(3) 我对公司有信心。（但对自己没决心。）

(4) 交给我，你放心。（交给我，我黑心。）

(5) 开会要有效率。（开会打瞌睡不舒服。）

(6) 工作进度都在掌控中。（都在我只手遮天中。）

(7)我对工作充满了热忱。（热度是要靠钱保温的。）

(8)我可以独立作业。（我习惯一个人打混摸鱼。）

(9)成就感超越一切。（诓骗大家的成就感。）

(10)我愿为同事掏心掏肺。（我愿为同事狼心狗肺。）

(11)我是一个工作狂。（一工作就发狂。）

唉，真不想上班。
要努力！
要偷懒！
我看过你的命，你六十岁以前天天为上班烦恼。
要努力！
要偷懒！
六十岁以后呢？
天天为没班上烦恼。
那我就努力偷懒吧……

就老板与员工之间，我们从未好好坐下来聊过。
很高兴跟你聊得这么愉快，希望下次还能多聚聚。

你有没有听过八十、二十理论?
就是百分之八十的工作都是由百分之二十的人在做。
没有，但我听过百分之八十的员工都只能领到百分之二十的薪水。
话不投机半句多……

(12) 我一直在摸索公司的未来。（我一直在铺自己的后路。）

老板黑白讲辞典：

(1) 你是公司最大的资产。（你把公司搞得很惨。）

(2) 员工是一切。（但甭想得到一切。）

(3)公司开放入股。（不踢你屁股就不错了。）
(4)你非常努力。（你是个非常奴隶。）
(5)劳资不该对立。（但也别想对分利。）
(6)大伙都是一家人。（我是主人，你是佣人。）
(7)你是一个有干劲的人。（尽干些狗屁倒灶事的

员工来上班为的不是薪水，而是个人的成长。
所以我们希望公司能提供员工未来的人生远景。
没问题。
一次
20元

你怎么又在上班时间打瞌睡?!
休息是为了走更远的路。
休息不会让他走更远的路，只会让他走路。

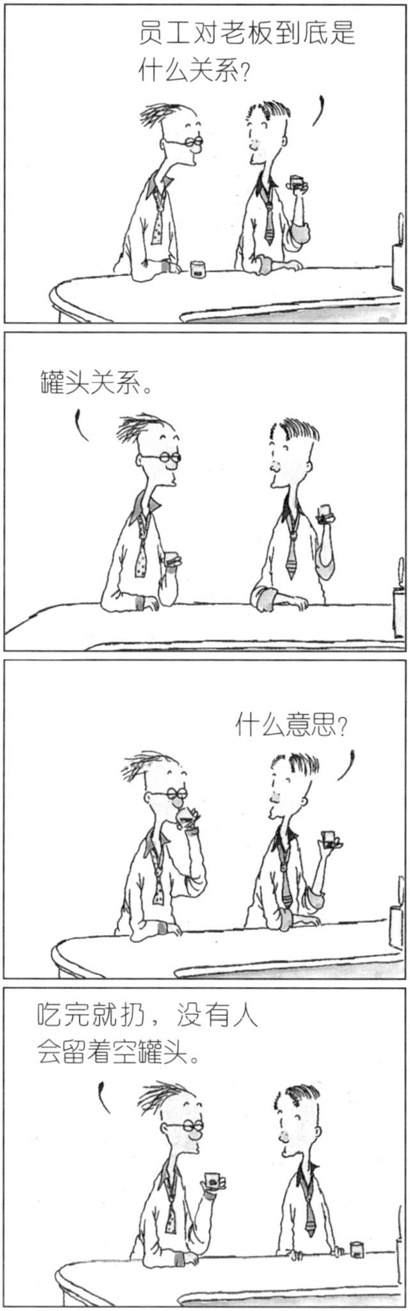

员工对老板到底是什么关系？
罐头关系。
什么意思？
吃完就扔，没有人会留着空罐头。

老板，你可不可以回避一下。
老板，对不起。
老板，抱歉，我要用一下。
唉，谁叫看风水的说我今年的财位在厕所……

人。）

(8) 你很识大体。（不识大体就让你变尸体。）

(9) 我很荣幸跟各位共事。（但很不幸跟各位相识。）

(10) 我会提拔你。（最好能连根拔起。）

(11) 你很负责。（这桩赔钱的买卖就算你的了。）

(12) 这事再研究研究。（你研究这事如何补救，我研究这事如何扣你薪水。）

(13) 公司很在乎员工的健康。（所以不准请病假。）

(14) 公司随时欢迎你回来。（但我可不欢迎你回

难道人生只有上班这件事吗?
不可能的，人生一定还有更积极的事!
什么事?
加班这件事!
张半仙吗！你真的很灵吔。
自从你来看公司风水，方位做了一些调整修改。
现在所有员工都乖乖待在公司，再也没人偷溜出去了。
我要下班……

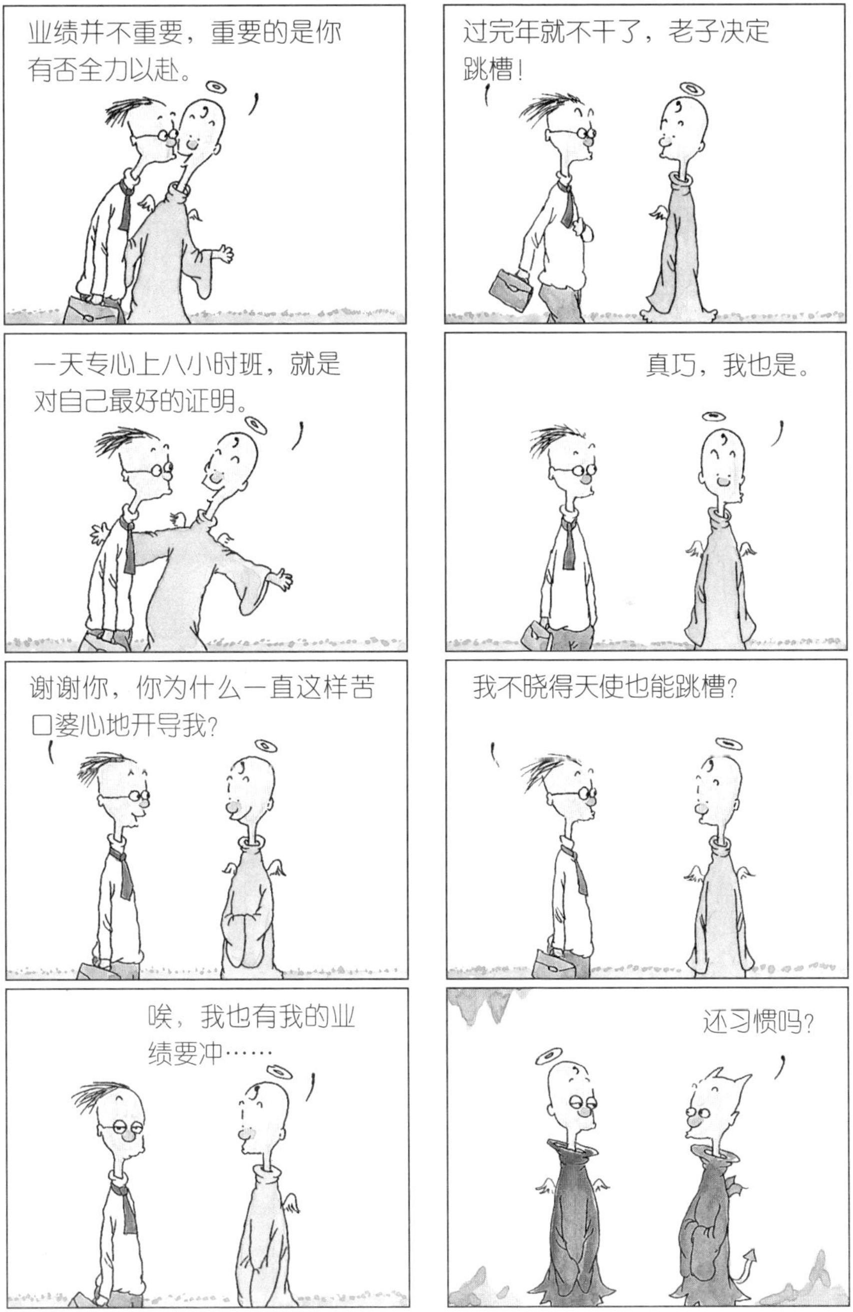
业绩并不重要，重要的是你有否全力以赴。
一天专心上八小时班，就是对自己最好的证明。
谢谢你，你为什么一直这样苦口婆心地开导我？
唉，我也有我的业绩要冲……
过完年就不干了，老子决定跳槽！
真巧，我也是。
我不晓得天使也能跳槽？
还习惯吗？

来。）

● 不优秀的计划可以修改，不优秀的员工可以修理。

——一个老板如是说。

● 每个员工在填请假条时都充满着创造力。

2

GOOD MORNING 脑死族

脑死，是上班族特有的一种暂时性失忆症，好发于每天上午9点钟至下午5点钟之间。它是小小上班族的每日安慰，也是大老板们的超级梦魇。

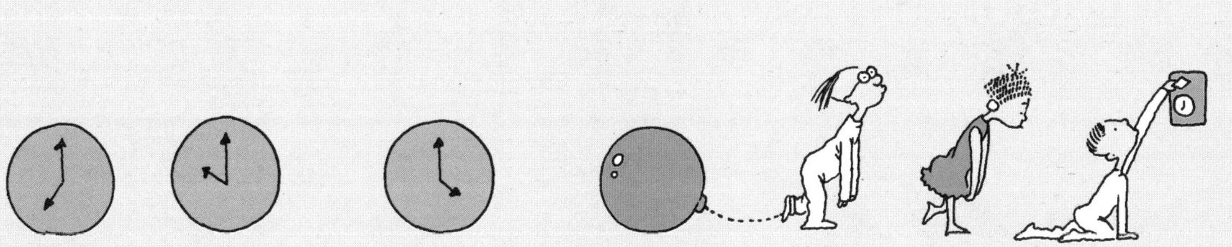

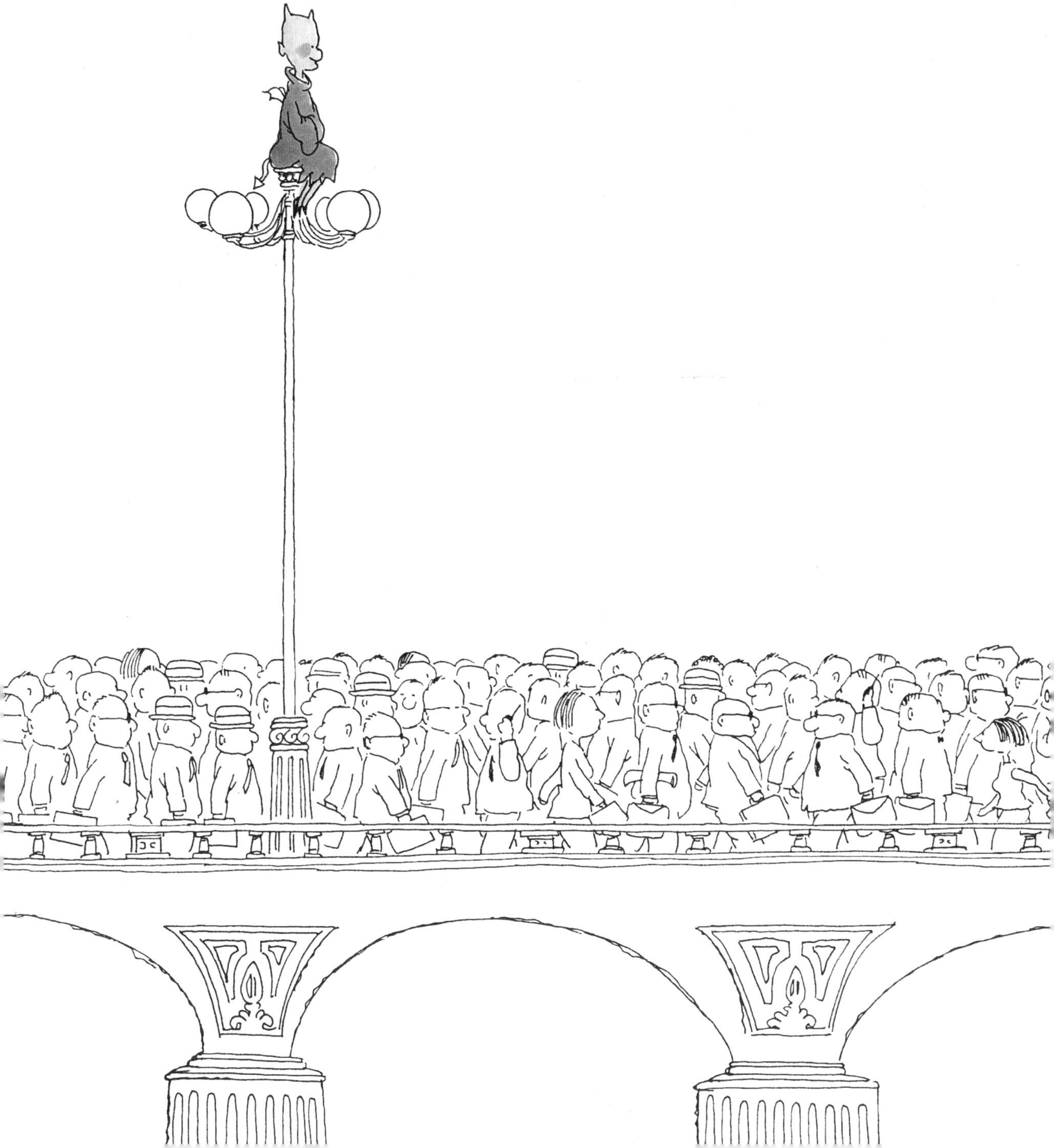

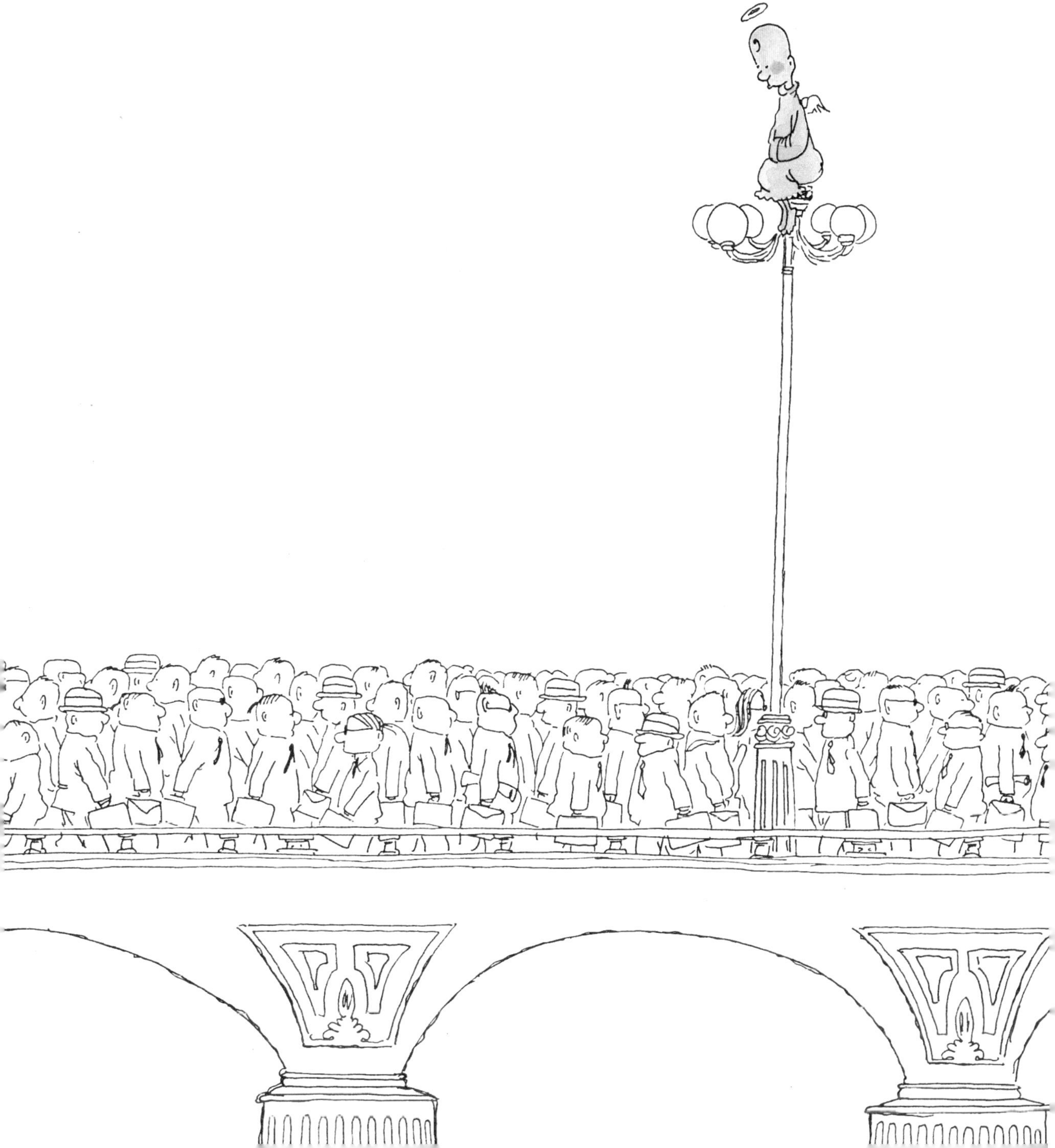

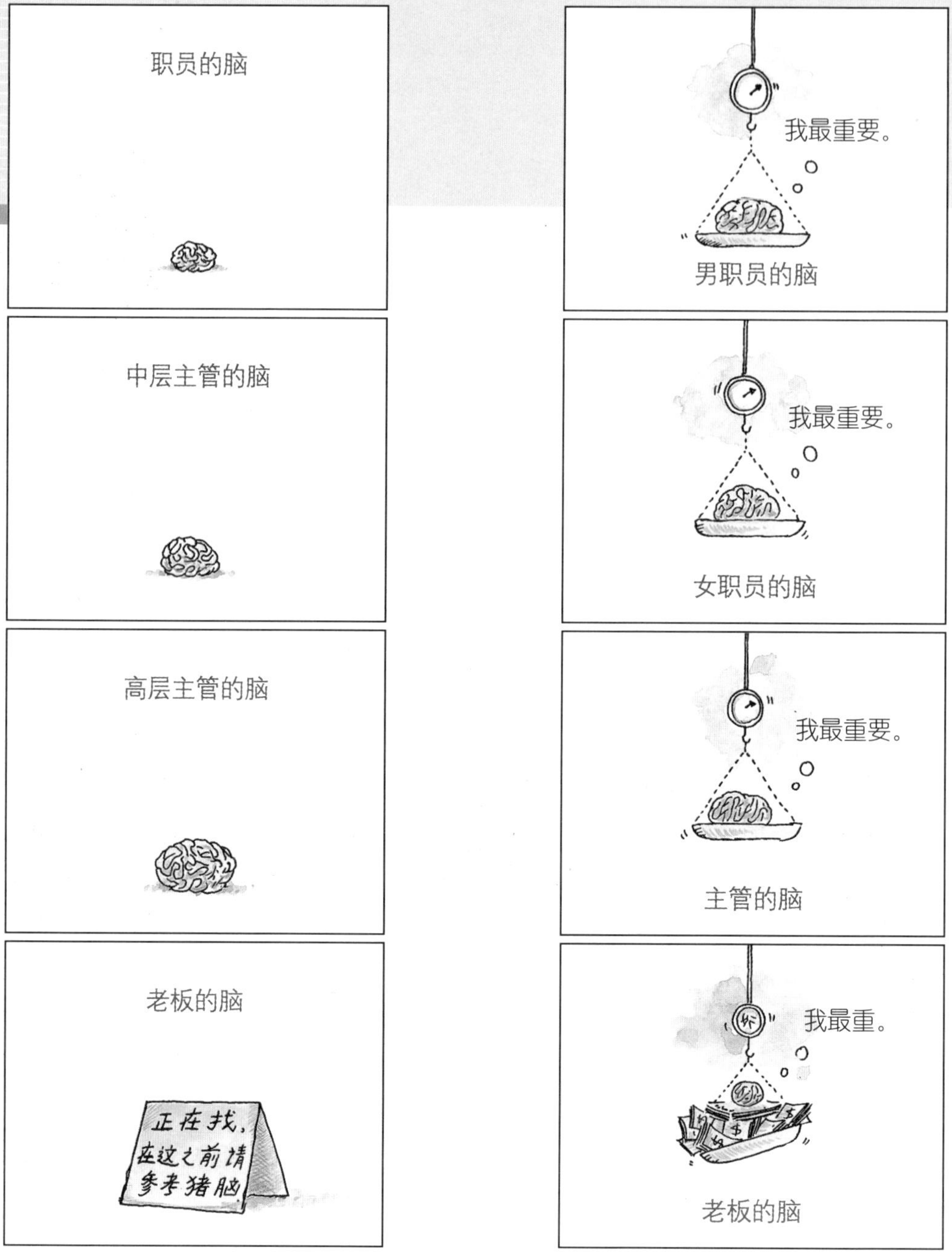
职员的脑
中层主管的脑
高层主管的脑
老板的脑
正在找，在这之前请参考猪脑
我最重要。
男职员的脑
我最重要。
女职员的脑
我最重要。
主管的脑
我最重。
老板的脑

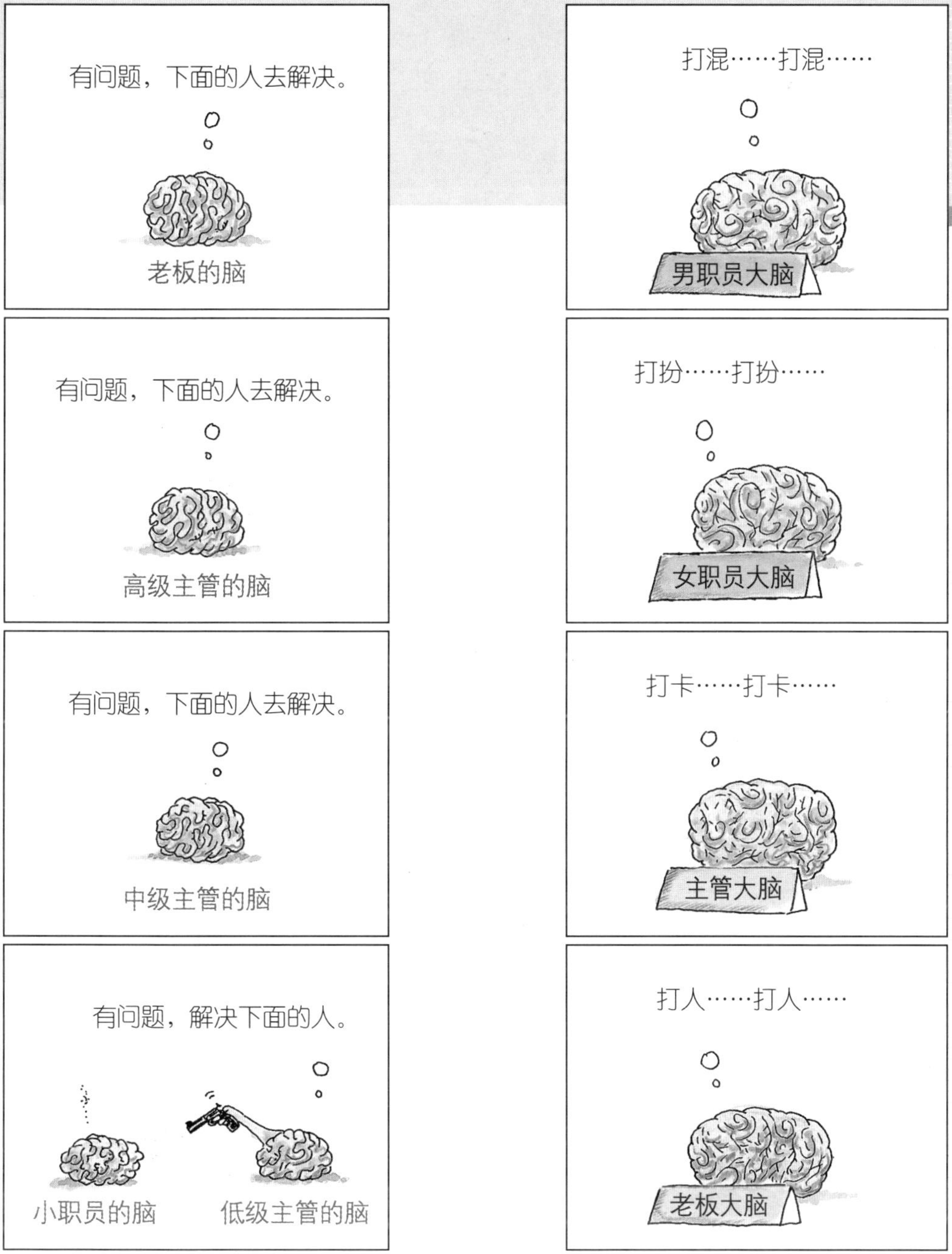
有问题，下面的人去解决。
老板的脑
有问题，下面的人去解决。
高级主管的脑
有问题，下面的人去解决。
中级主管的脑
有问题，解决下面的人。
小职员的脑
低级主管的脑
打混……打混……
男职员大脑
打扮……打扮……
女职员大脑
打卡……打卡……
主管大脑
打人……打人……
老板大脑

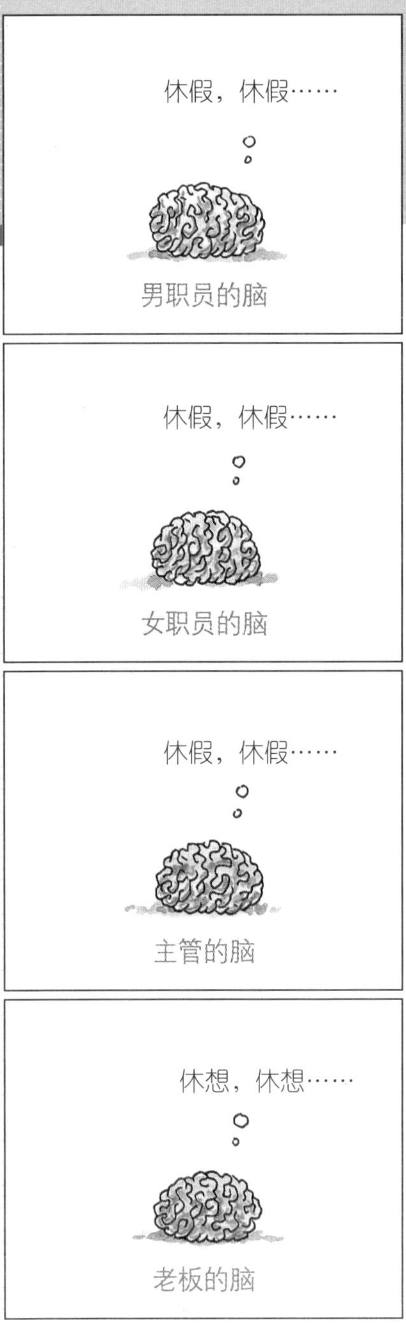
休假，休假……
男职员的脑
休假，休假……
女职员的脑
休假，休假……
主管的脑
休想，休想……
老板的脑

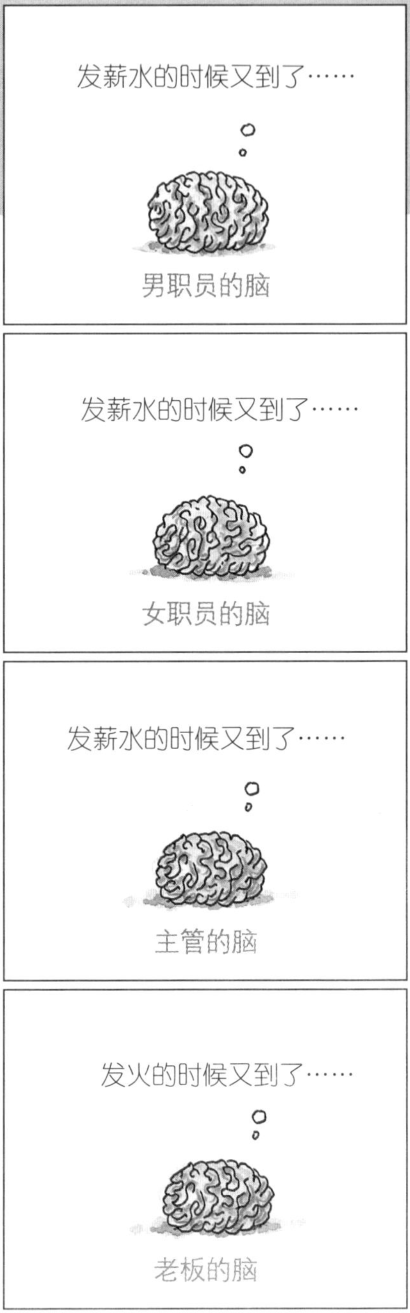
发薪水的时候又到了……
男职员的脑
发薪水的时候又到了……
女职员的脑
发薪水的时候又到了……
主管的脑
发火的时候又到了……
老板的脑

一般资质的大脑应付
一般的业务量
太重了
低层员工的耐压性
中等资质的大脑应付
中等的业务量
太重了
中层员工的耐压性
上等资质的大脑应付
超重的业务量
太重了
高层主管的耐压性
最上等资质的大脑根本
没有业务需要应付
赖给别人做
太重了
老板的耐压性

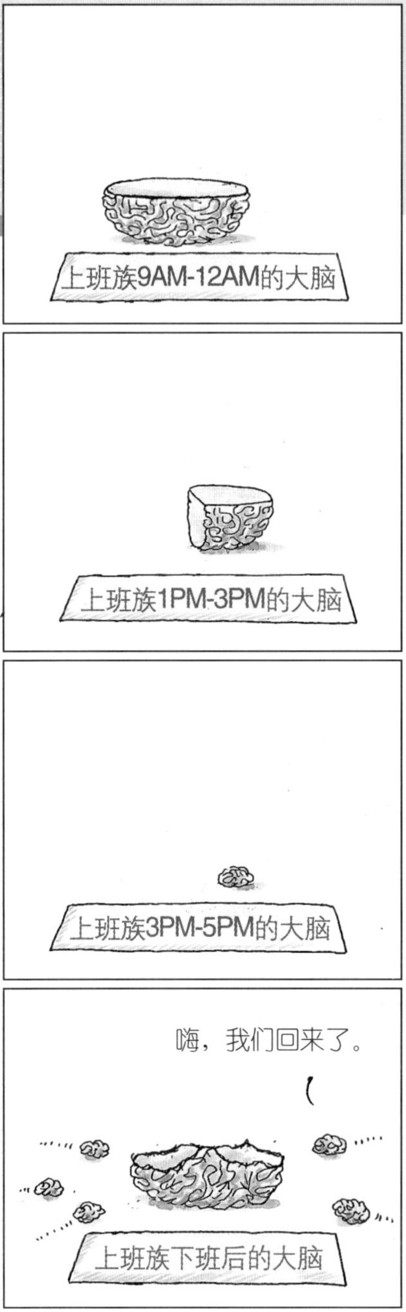
上班族9AM-12AM的大脑
上班族1PM-3PM的大脑
上班族3PM-5PM的大脑
嗨，我们回来了。
上班族下班后的大脑

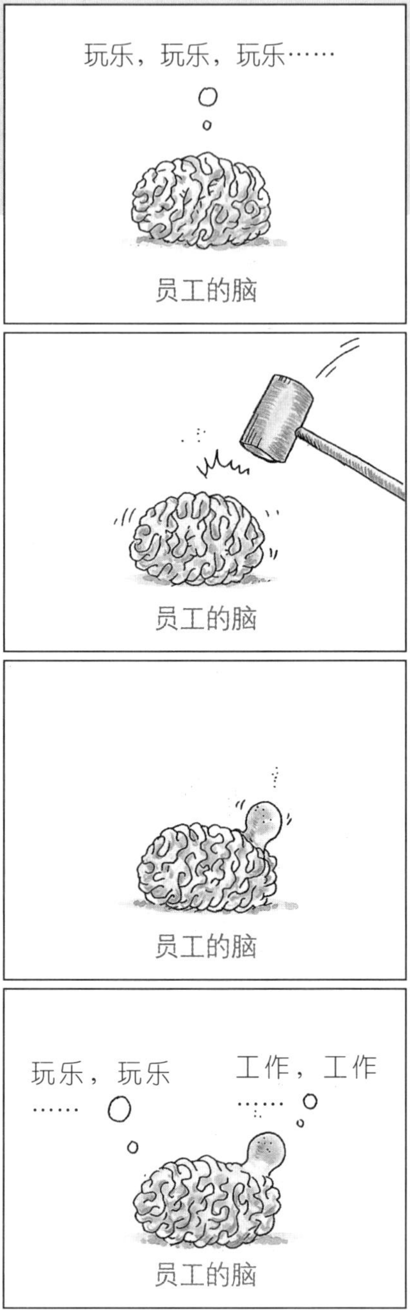
玩乐，玩乐，玩乐……
员工的脑
员工的脑
员工的脑
玩乐，玩乐……
工作，工作……
员工的脑

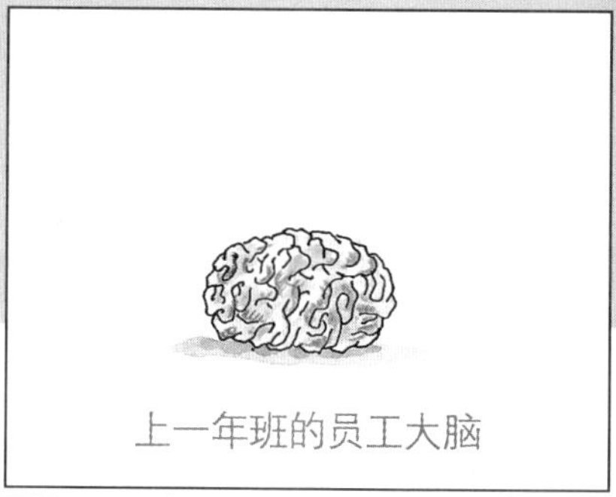
上一年班的员工大脑

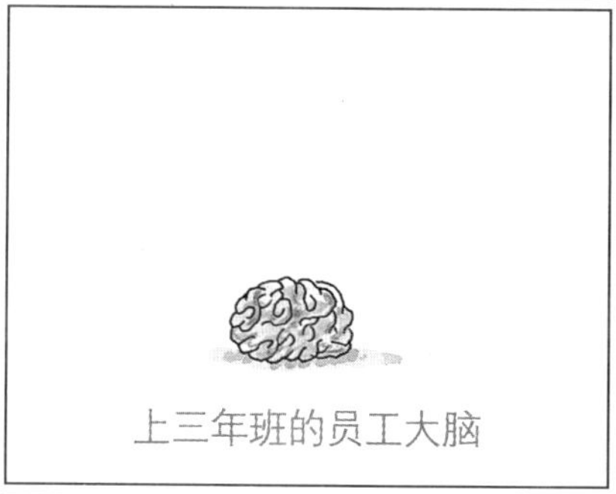
上三年班的员工大脑

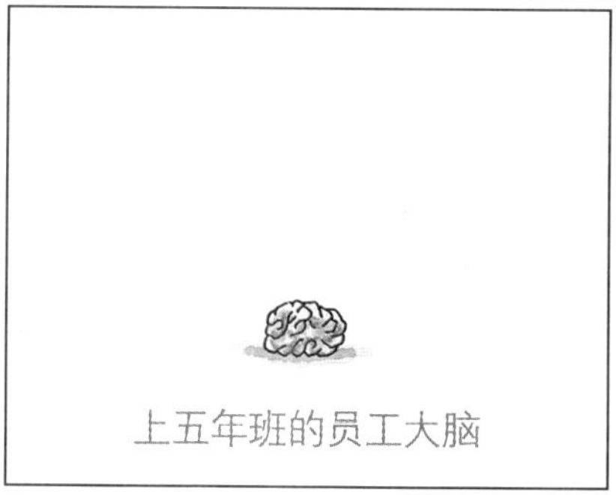
上五年班的员工大脑

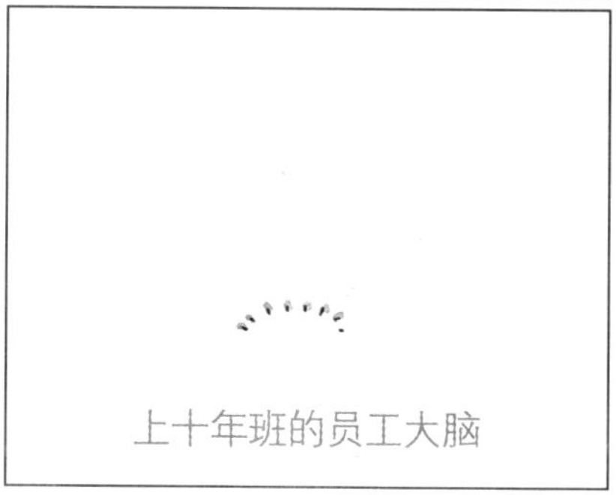
上十年班的员工大脑

律师的脑……

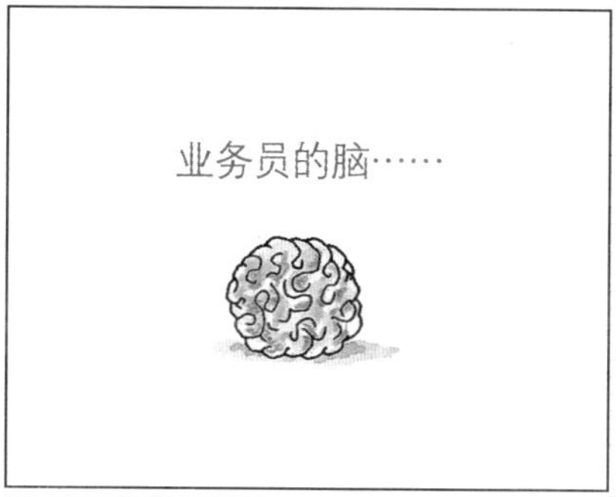
业务员的脑……

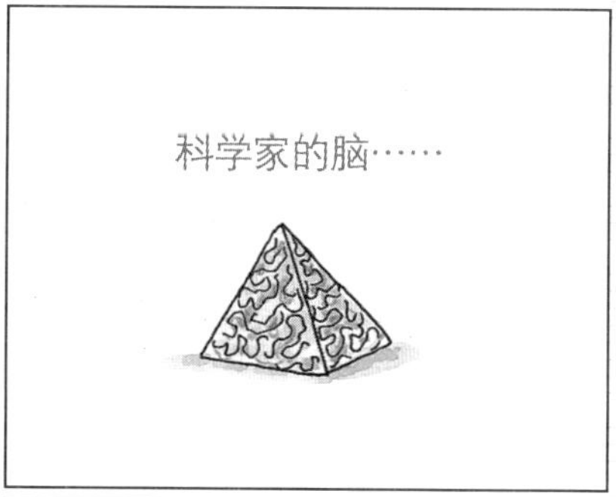
科学家的脑……

老板的脑……

●所有公司的制度都不是为了让你存在，而是为了让上司知道你存在。

●所谓百分之百的投入，是指一百个员工每个人只出百分之一的力。

●大公司没效率，小公司没效益。

现在是合并的时代，你有没有考虑合作？
有，但我们公司的性质完全不同，怎么合并？
我们欺压员工的性质是一样的。
并购是时代的趋势。
没错，我的电子公司刚被一家食品公司并购。
怎么会？你公司跟食品一点关系也没有呀？
我公司养了一票只会吃饭的员工。

据研究，员工平均一天里，真正工作只有1.5小时。
所以细推下来，就表示八个人只能做一人份的事。
但我们不可能因此就请八个人来做一个人的事呀！
但我们可以请一个人只付他1/8的薪水。

谈谈你对公司未来远景的看法。
我希望公司产业多元化，产品普及化，管理人性化，超势科技化。
非常好，还有呢？
发薪正常化。

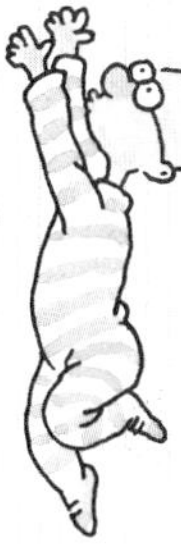

员工分三种，一种是能力很强的，一种是能力不强的，另一种是你永远分不清他的能力强不强。

老板只分两种：赚钱的老板和死老板。其余的都会改行。

员工会偷懒，就如同狗身上有跳蚤会搔痒一样。

●一打开电视总是碰到广告，一打起瞌睡总是遇到主管，这就是人生。

●所谓进步，就是你上班打瞌睡的时数变少了。所谓退步，就是打瞌睡的时数虽然变少，清醒过来的时间却变长了。

产业多元化，产品普及化！
发展市场化，运作科技化！
人才质量化，管道畅通化！
老板，我的肚子不消化！

为了建立更完善的沟通，每天上班要固定开三次会。
那我们要利用什么时间做事？
说的也是。
明天下班后该到谁的床上开会？

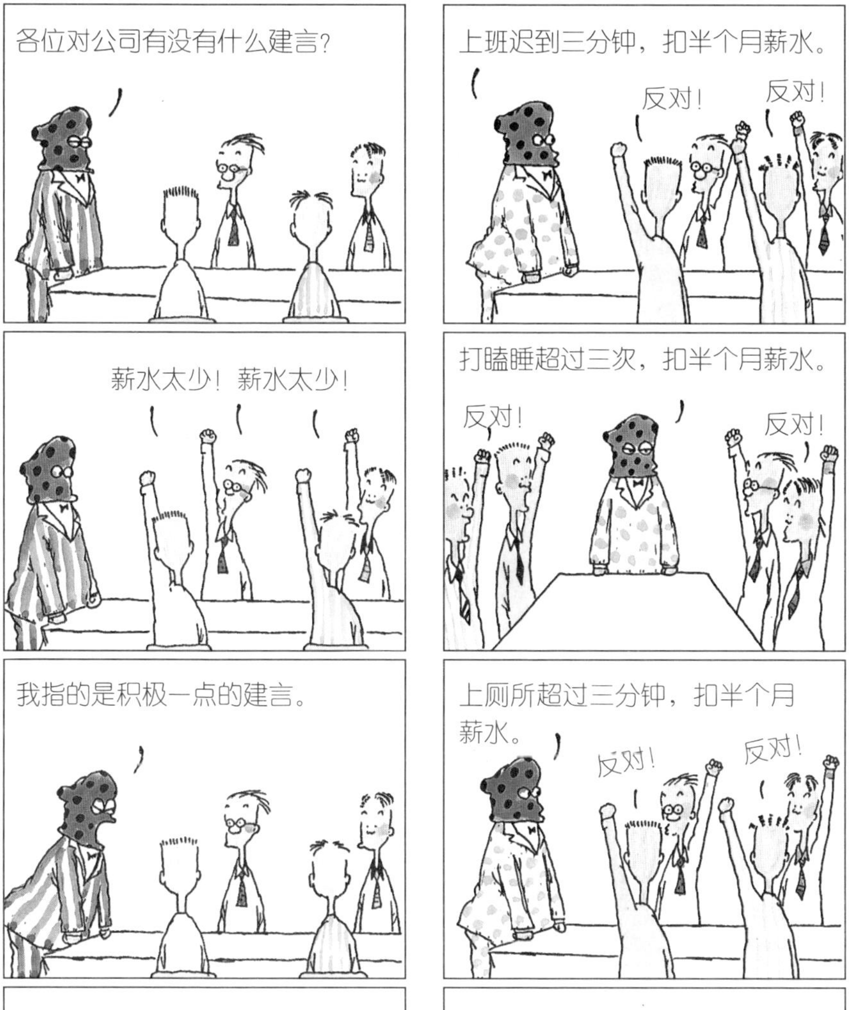

各位对公司有没有什么建言?
薪水太少!薪水太少!
我指的是积极一点的建言。
奖金太少!奖金太少!
上班迟到三分钟，扣半个月薪水。
反对!
反对!
打瞌睡超过三次，扣半个月薪水。
反对!
反对!
上厕所超过三分钟，扣半个月薪水。
反对!
反对!
反对超过三次，扣整个月薪水。

2

● 惟一能证明上班族还活着的是发薪日那一天，但在看完薪资数目后，他们又会再度死亡。这种生死轮回每个月都会发生一次。

● 如果打混摸鱼也要征收税金，办公室里所有的懒虫都会变勤劳了。

脑死族推手十八：

(1) 这不是我的范围。

(2) 这是我的范围，但不是我的专长。

(3) 有更重要的事待办。

(4) 这需要再研究。

公司决定推行“Double”政策。
就是业绩Double，品质Double，沟通Double，分工Double。
那薪资呢？
薪资“打薄”。
这个月业绩掉了百分之十，将由诸位的薪水扣回。
不公平！
那就只从你一个人的薪水扣回。
公平！
公平！

公司这个月业绩掉了三个百分点。
请各部门报告彼此协调作业的状况。
我想听听你们的说法。
请大爷饶命。
唉……

(5) 老板不会同意的。
(6) 大伙先开个会吧。
(7) 这样行不通。
(8) 这样缺乏竞争力。
(9) 没有经费。

(10)原来不是满好的吗？
(11)会增加成本的。
(12)大家会反对。
(13)试试别的部门。
(14)去年有人提过。

公司这个月的业绩又掉了三成!
你们真是一群毫无反应，只会吃饭的饭桶!
咕噜
咕噜
咕噜
我不该提到任何跟“吃”有关的句子……

这是一个人人都跟数字有关的时代。
所以从今天起你们要把自己纳入公司业绩数字中!
我反对，我是人，不是数字!
你被纳入这个月失业人口数字中了吔。

(15)很好，但让我想一想。
(16)我先听听别人的看法。
(17)看老板怎么说。
(18)我好像感冒了。

脑死族公事公办定律：

我不知道整天为何而忙?
我也不知道整天为何让你们忙?
算了，各忙各的吧……

十点开企划会议，十一点开业务会议……
一点开主管汇报，三点开部门协调会……
天啊，我要疯掉啦!
五点开员工发疯会议。

(1) 把大问题分成两个小问题。

(2) 再把两个小问题分成四个次要的小问题。

(3) 再把四个次要小问题分成八个更次要的小问题。

(4) 通常分到八个时，大问题看起来就再也不像

好吧，是我的错，全是我的错，我愿承担一切责任。
唉，每次都得这样才能很快地结束会议……
今天要讨论的是“如何有效地缩短开会时间”。
报告完毕。
谢谢主席参与，散会。

努力！
努力！
努力！
加油！
加油！
加油！
奋斗！
奋斗！
奋斗！
再见！
再见！
再见！
又上当了……

先生，行行好。
我曾经是老板，能不能多赏一点？
我怎么知道你不是在骗我？
你看，我还带着秘书。

大问题了。

- 上班和约会的差别在于：约会是你表现最好的两小时，上班是你表现最糟的八小时。
- 完美公司的定义：老板负责做白日梦，员工负责打瞌睡。

什么！才赏十元?！
你上个月还赏二十元，你一定没好好上班，要不然就是业绩严重滑落！
给我乖乖干活，每天加班，不准迟到早退，否则别怪我心狠手辣！
唉，这些乞丐就是对以前当老板无法忘情……

喂！我本来排在你前面的！
抢银行也有抢银行的规矩！
我失业前是总经理，你呢?！

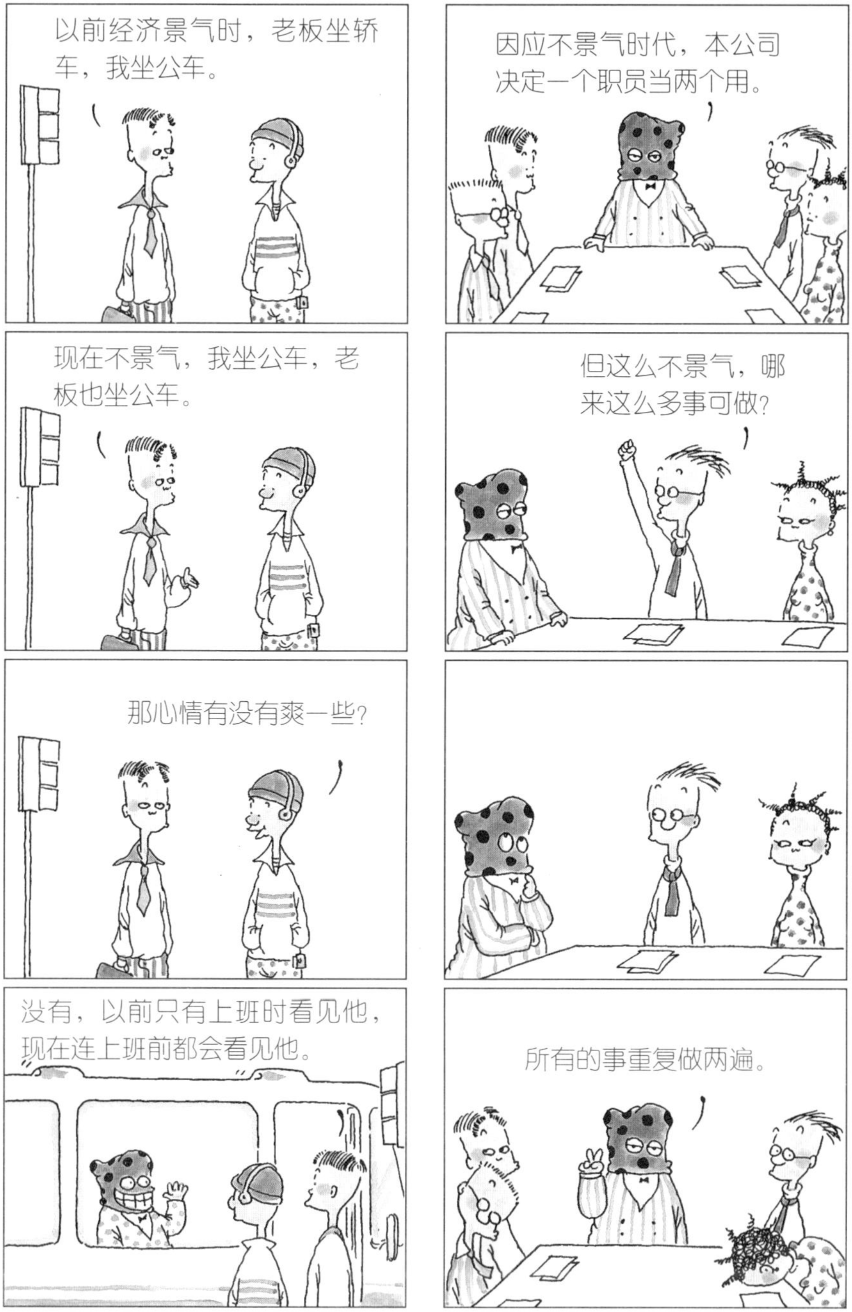
以前经济景气时，老板坐轿车，我坐公车。
现在不景气，我坐公车，老板也坐公车。
那心情有没有爽一些？
没有，以前只有上班时看见他，现在连上班前都会看见他。
因应不景气时代，本公司决定一个职员当两个用。
但这么不景气，哪来这么多事可做？
所有的事重复做两遍。

● 每个公司的会议都爱讨论生产力，结果他们生产最多的是会议。

● 世上百分之八十五的陈腔滥调都出现在公司会议中。

● 视讯会议最大的缺点在于你不能转台。

有空吗？
有空，有空。
有空吗？
有空，当然有空。
有空吗？
有，有。
既然大家都这么有空，晚上加班。

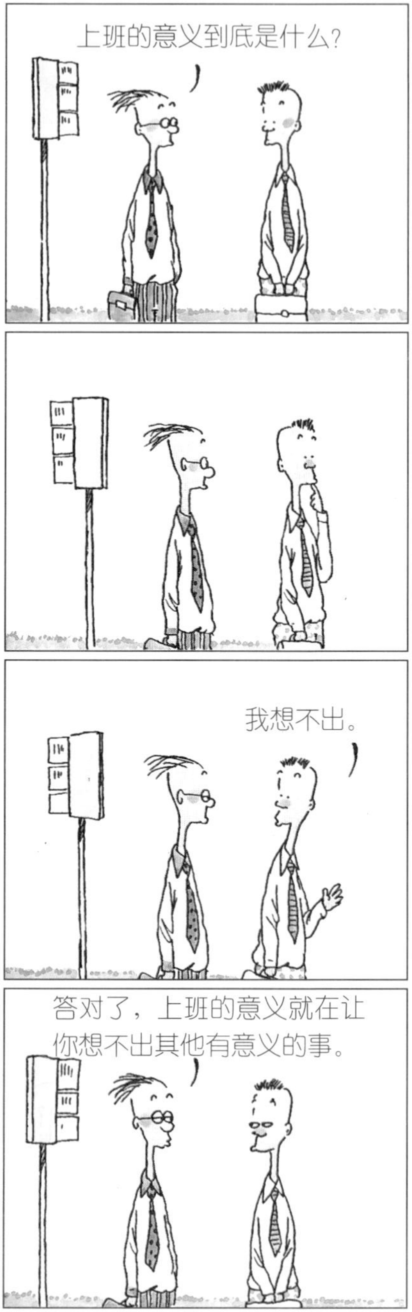
上班的意义到底是什么？
我想不出。
答对了，上班的意义就在让你想不出其他有意义的事。

唉，我的人生就像卫生纸一样，而且一下就用完了。
喂，隔壁的，能不能借一点卫生纸？
别人的人生就算借给你，也都是用过的……

全世界的员工都是一样的笨蛋。
其实不一样。
笨蛋难道还有分别吗？
有分自己请的笨蛋跟别人请的笨蛋。

099

开会能测试出与会者的耐力，或是他打瞌睡的技术。

办公室里的错误并不像办公室里的感冒：它不会从一个人传染给另一个，只会从一个人推诿给另一个。

●公司如监狱，西服如狱服，都有其规定：

公司职位越高者西服色泽越深，公文包皱褶磨损处越多。

●上班族八十・二十开会定律：

(1)百分之八十的会都是没必要开的。

为什么很多老板都这么无能?
这世上并不是能当老板的人才去当老板。
那是什么?
是想当老板的人才去当老板。

拜托别哭，我以后不骂你就是了。
你又不是女生，用这招不管用!
我现在可以哭了吗?

介绍一下，这是你的新主管。
哈杀！
我什么错也没犯呀?！
我知道，但你今天迟早会犯错。

你要想清楚你想当什么?！
你要想清楚你想当什么?！
你要想清楚你想当什么?！
生涯规划
你要想清楚你想“当”什么?！

(2) 百分之八十的话都是没必要的废话。

(3) 百分之八十的与会者都是和议题无关的人。

(4) 百分之八十的讨论结果里有百分之八十都不可行。

(5) 百分之二十的人会缺席。

●上班族开会心理学：

(1)召开会议者一定惹人怨。

(2)结束会议者必受人爱戴。

(3)会议中推动事项的可行性高低和出席人数无关，和与会人的职位高低有关。

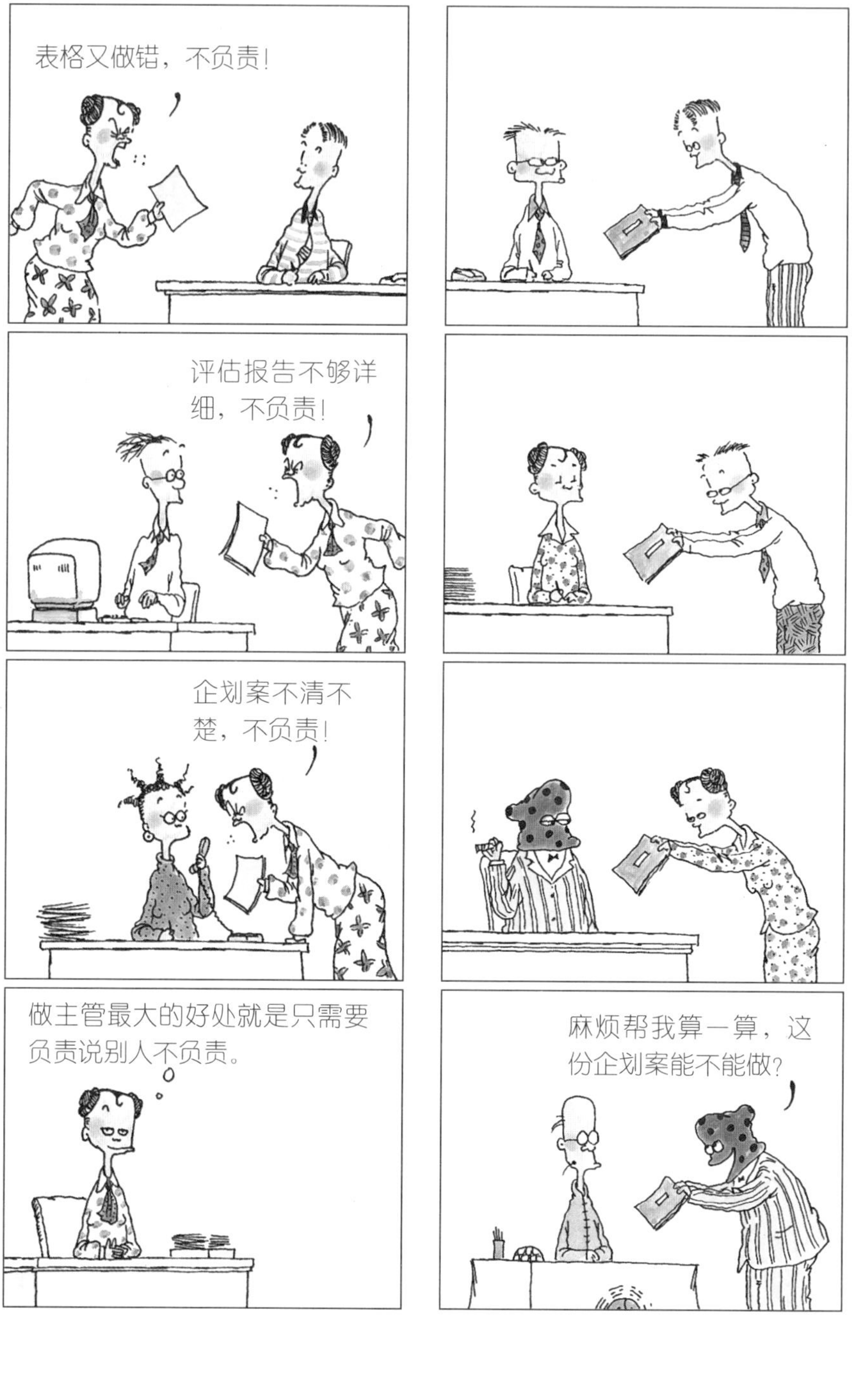
表格又做错，不负责！
评估报告不够详细，不负责！
企划案不清不楚，不负责！
做主管最大的好处就是只需要负责说别人不负责。
麻烦帮我算一算，这份企划案能不能做？

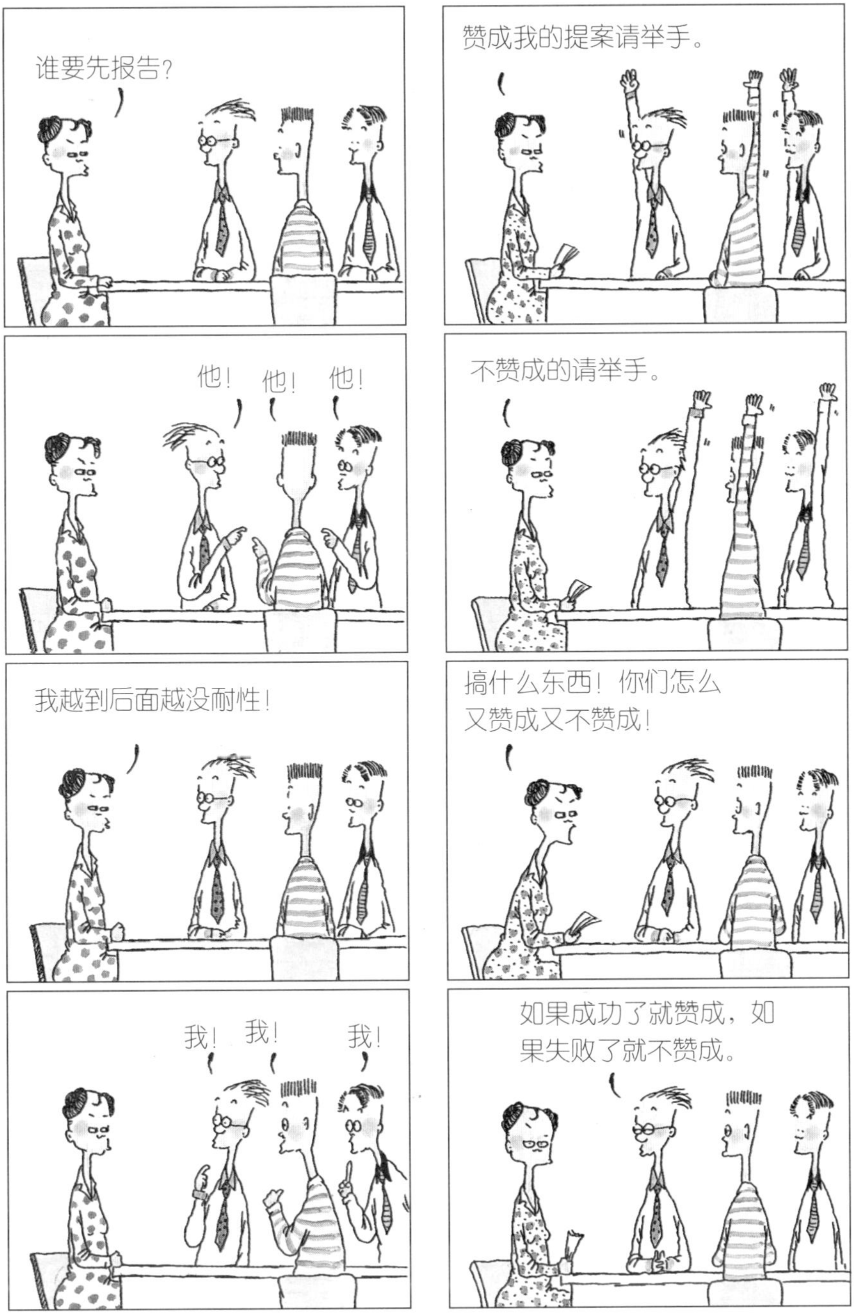
谁要先报告?
他！
他！
他！
我越到后面越没耐性！
我！
我！
我！
赞成我的提案请举手。
不赞成的请举手。
搞什么东西！你们怎么
又赞成又不赞成！
如果成功了就赞成，如
果失败了就不赞成。

(4)尽量别参与会议，若非得出席不可，就保持人在心不在的状态。

- 上司不一定比你有能力，但一定比你会开会。
- 办公室就像垃圾场，每天都得分类处理，否则就会臭气冲天——一个主管如是说。

●主管能解决的问题绝对不是真正的问题。

●自动消失的问题会带着更大的问题回到你的身边。

●百分之九十的问题都出自员工，所以解决了员工就解决了问题。

这是他的过失。
这是他的过失。
这是他的过失。
不关我的事，我以为大家在排队买电影票。

今天又要开什么会？
今天要开的会是昨天还没开完的会……
昨天开的是大前天还没开完的会……
……去年开的是前年还没开完的会……大前年的会是大大大前年还没……

我女朋友跟我分手了。
我老婆跟我离婚了。
我妈把我赶出家门了。
走错会议室了……
破碎人生
互助会

你的改革计划进行如何了？
目前正在进行人事改革部分。
有没有什么地方需要我的协助？
有的，刑具稍嫌不足。

- 公司充满了各式的谣言，而那些谣言竟然有百分之九十以上属实。
- 办公室谣言的真实性与出面澄清的主管阶级高低成正比。
- 别怕散播谣言，传至最后的绝非你当初的版本。

● 公司里任何对事不对人的批评其实都是针对人。

● 无能的人最后会成为主管，无钱的人最后会成为职员。

● 只要你装出一副忙得团团转的模样，就可以把主管要得团团转。

这是我们第一次约会，你有什么话要对我说吗？
我……我只是一个小职员薪水还不够养活自己……
……公司又经营不善，随时会倒闭，我也朝不保夕……
这是我们最后一次约会，你还有什么话要对我说吗？
唉，每天在公司看老板脸色，你只能莫可奈何。
我了解一个没没无闻小上班族的悲哀。
不过，想开点，下了班到PUB来找乐子也不错。
唉，每天在PUB看女人美色，你也只能莫可奈何……

你这个混蛋，不知长进的狗屎！
是……是……是。
明天计划交不出来就把你的脑袋瓜挂在门口！
是……是……是。
这小子又在发做老板的疯了。
公司请你的目的是什么？
来提升公司的价值。
很好，观念非常正确。
唉，但公司每个月的薪水并不够提升自己的价值……

- 由于一妻多夫制无法流行，所以现代女性选择去当公司主管。
- 公司就是一个家，里面只有赢家和输家两种人。
- 公司大到一个程度时，运作就会像恐龙，所以研究古生物的人应该去大公司。

先补粉底，再涂眼影
……腮红……
然后口红，眉毛，眼线……
每个步骤、程序，都不能错。
嘿，终于打扮好了。
唉，如果她处理公事也
是这样就好了……
唉……

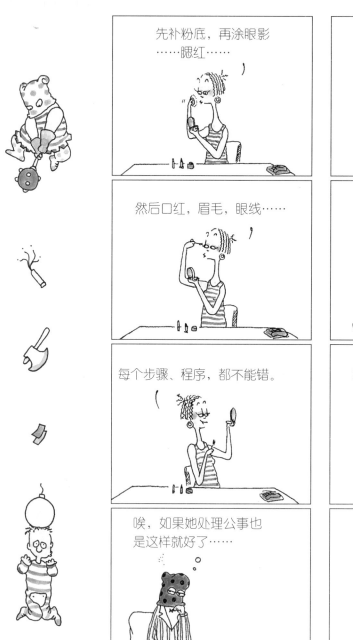

你自认为是非常优秀的
企划促销人员？
是的，我是。
我不认为。
你到现在连自己都没推销出
去。
我们男人的压力就是要想办法
成为一个有事业的男人。
你们女人的压力呢？
想办法成为那个有事业
的男人旁边的女人。

▼《Warning》脑死族8大征兆

1. 上班时脑部一片空白，如同沉睡两千年刚苏醒的木乃伊。下班后活灵活现，彷佛魔瓶里刚蹦跳出来的小精灵。
2. 对老板交代的事，惟一会发表的意见就是「是」。
3. 对同事提出的问题，惟一会回答的字眼就是「嗯」。
4. 上厕所、倒咖啡所费的时间，占上班八小时的十分之一。
5. 和电脑沟通的时间，超过和人沟通的时间10倍以上。（如果你是以电话和人沟通，则时间只能以1/2计算。）
6. 看公文时，双眼焦距无法集中10秒以上，看美女则相反。
7. 记不住该记住的事，忘不掉该忘掉的事。
8. 认为一周有七天，但天天都是周末。

▼脑死族Easy上班7大法则

1.别接困难度高的工作：

会冒主管从猜测你可能脑死到坚信你已经脑死的风险。

2.别接轻松易做的工作：

会冒同僚因眼红而想法子把你搞到真正脑死的风险。

3.别轻易做决定：

别人若能下万无一失的决定，早就已经下了。不能下的决定，才会让你做决定。身为脑死族，要做的就是别乱决定。

4.参与公司所有的会议：

反正重要的会议你也插不上嘴，不重要的会议有比你更不重要的人抢着发表高论。

重点不在于发言与否，而在于参与。有参与才有机会表功，或者搞清楚状况，避免恐怖分子乱放冷箭。

5.穿着体面：

你穿得越体面，遭人修理的几率并不会越少，但会让想检讨你的人稍微迟疑一下，可减低被人乱整而措手不及的风险。

P.S.穿着体面亦可减低他人对你脑死的疑虑。

6.保持像球一样团团转状态：

事情不在于做对或做错，而在于不停地做，如此才能防止老板挑毛病、同事找麻烦。

7.一切视情况而定：

你可以选择人数多的那一边。因为即使错了，只要人数够多，你们就会变成是对的。

你也可以选择人数少但权力大的那一边。人头固然是用来数的，但发你薪水的绝对属于少数人。

切记：人头虽然是用来数而不是用来砍的，但多数人的头其实是被少数人砍掉的。

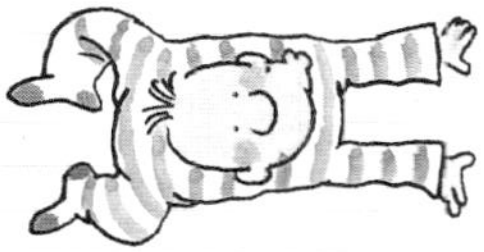

▶ Trouble办公室Trouble程式1

1. 任何简单易懂的程式，都足以把你搅得昏天暗地。
2. 一切复杂的程式，不在于让你使用起来感到有价值，而在于让你克服万难后感到自身的价值。
3. 程式的复杂度，恰与你的智商成反比。
4. 没有过时的程式，只有过气的你。
5. 程式不会出错，因为如果程式出错，设计者第一个怪的就是使用者。
6. 病毒总是欺负新手，捉弄老手。
7. 切记：你永远不会被电脑取代，因为老板永远需要有人可骂。

▶ Trouble办公室Trouble程式2

- 遇问题，先怪罪电脑，因为电脑不能回嘴。
- 再遇问题，则怪罪设计者，因为老板或许懂电脑，但绝不可能碰巧也认识设计者。
- 有趣的电脑程式，其终极目的在于让人变无趣。
- 人人都懂测试程式，但懂得处理错误者少之又少。

●程式设计的费用高低与符不符合使用者的需求成反比。

●侦测错误的难易度与事后实际造成的灾难大小成反比。

●设计程式的时间多寡与事后修理程式的工夫成正比。

●电脑主机内部排线靠颜色区分者，会碰到色盲的使用者。

●用电脑工作最大的好处在于，没人能分辨你是在工作还是在发呆。

●老板全面电脑化的目的，并不在于增加员工的效率，而在于增加员工的报废率。

▶《Warning》脑死族网瘾5大征兆

1. 除了在电脑和酒杯之前，你已不再觉得自己是个男人（或女人）。
2. 你更换电脑软件的速度和更换你的老板一样快。
3. 如果你未婚，电脑即工作，电脑即娱乐，电脑即爱情，电脑即婚姻。
4. 如果你已婚，则你的时间属于你老婆，你和老婆的时间共同属于你们的电脑。
5. 你的老板必须透过任何电脑系统或网路下达指令给你，始能生效。

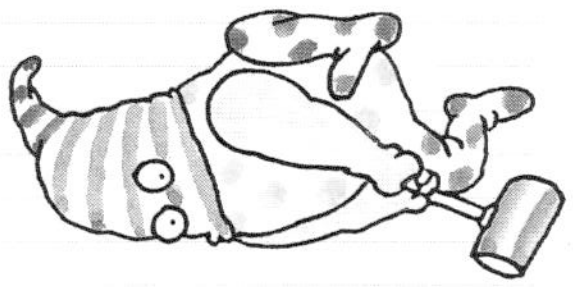

● 上班族哀乐人生观：
(1) 能笑的时候就千万别哭。
(2) 能哭的时候就找对主管哭。
(3) 不笑不哭非极度努力者即是鲁钝之人。

● 尾牙定律：你永远抽不到你想要的奖品。

我在家里都憋着不上厕所，等来公司再上。
我也是，这样就可以多偷一点公司时间干自己的事。
奇怪，每次上厕所时都没见着老板？
偷跑到员工家上厕所，确实有股莫名其妙的快感。

公司新规定，从现在起每次上厕所不得超过三十秒！
不是规定三分钟吗？
此次情况特殊，以后还是维持三分钟。
因为老板快挺不住了。

本公司新设置一种“懒惰椅”。
只要你在座位上坐得不够久，它就会发电波电你。
嘿，这下子员工可不能再四处乱晃摸鱼打混了。
老板，这个月公司的电费已经超过平常一年的用度了。
唉，提了一堆企划案，老板没一个同意。
唉，赶了一夜报告，老板全不同意。
唉，这项投资方案，万无一失，老板还是不同意。
唉，不该尝试摇头丸的……

有能力的员工分两种，一种能让公司赚钱，一种能让公司赔钱。

上班族苟活定律：

(1)别尽做简单的事，那会测不出你的能力而让你失去升迁的机会。

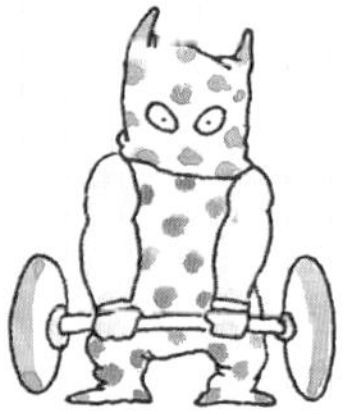

(2)别尽做困难的事，那会测出别人帮你擦屁股的能力而让你失去上司的信赖。

(3)先指出有问题的部分，提问题的人享有不用提解决方案的特权。

(4)做简单或困难的事都比做傻事来得好。

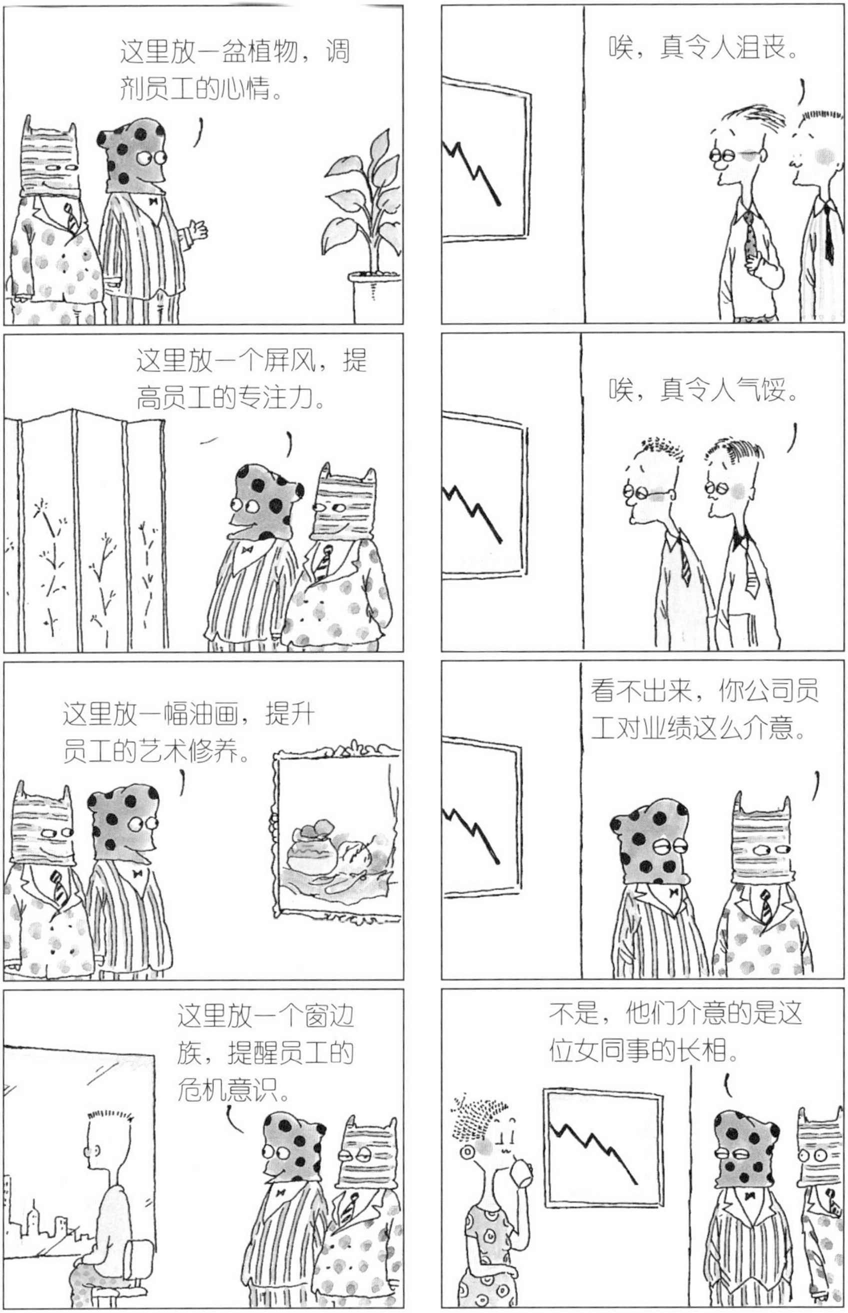
这里放一盆植物，调剂员工的心情。
这里放一个屏风，提高员工的专注力。
这里放一幅油画，提升员工的艺术修养。
这里放一个窗边族，提醒员工的危机意识。
唉，真令人沮丧。
唉，真令人气馁。
看不出来，你公司员工对业绩这么介意。
不是，他们介意的是这位女同事的长相。

竟敢用公司电脑谈网路恋爱！
亲爱的，今天过得好吗？
不好，刚才被老板敲了一记。
竟敢用公司电脑谈网路恋爱，
而那个人竟然是我！

有人跳楼。
好可怕。
又有人跳楼。
好可怕。
还好不是我们公司的人。
好可惜。

薪水越高，你的老板越难搞。
薪水越低，你的老婆越难搞。
薪水不高不低，你们这家公司会很难搞下去。
不要羡慕你的老板，如果他拥有的是像你这样的员工的话。

●每个公司都有两种员工，一种是聪明的驴子，另一种是笨驴。

老板会踢聪明驴子的屁股，聪明的驴子则会踢笨驴的屁股。

●老板的幸运在于他手下有一群不幸运的人。

A公司的人。
十六楼公司的员工……
B公司的人。
十四楼公司的员工……
你公司的人呢？
他们选择睡死。
Z Z
Z Z
我公司的员工……

快！快提议变更议程，修改员工福利给付标准！
快！快投票表决通过，立刻知会人事室核定！
快！快公布修改结果！
哈，要跳就快跳，你别想领到任何抚恤慰问金。

现在是一个讲究形象的时代，员工就代表公司。
所以你们要注意自己一举一动，包括坐姿、站姿。
天呀，我再也受不了！
补充两点，还有跳姿及趴姿。

公司百分百定律：

百分之百的老板会低估员工的能力。

百分之百的员工会低估老板的智商。

百分之百的老板会高估员工的耐力。

百分之百的员工会高估公司的薪水。

● 公司规则不变定律：

(1) 员工皆应遵守游戏规则。

(2) 老板有权更改游戏规则。

(3) 无论新旧规则，不利于员工权益的部分一律适用。

老板，自从你推行铁腕政策后就不断有员工自杀。
像这种政策根本就没提高公司员工士气。
谁说是要提高员工士气？
我是要减少员工人数，达到节约公司开销。
小王呢？
已经跳楼了。
阿义呢？
正在跳楼。
那李小姐呢？
她去跳楼大拍卖了。

上帝是造物主，上司是造孽主。

每个职员都是ENTER键，每个老板都是DELETE键。

电玩游戏永远在你正兴头时出现电脑当机，然后在你排除问题时出现你的老板。

你要干什么？
我生性懒惰，一事无成，我不想活了。
呀～
你还真不是普通懒，连多爬几层都不干。

这个月公司业绩量统计得如何了？
我们需要一个地下室。
什么意思？

● 越重要的档案越找不到，不重要的档案会在老板需要时不见。

● 你流失掉的档案永远是最重要的。

● 电脑手册的目的不在让你学会操作，而在于让你觉得价钱值得。

老王，这块玻璃要擦吗?
看他们老板的脸色大概不用擦了。
碰
你说的没错，擦了也是白擦。
唉，我们公司的休质像你的腿这么健康就好了。

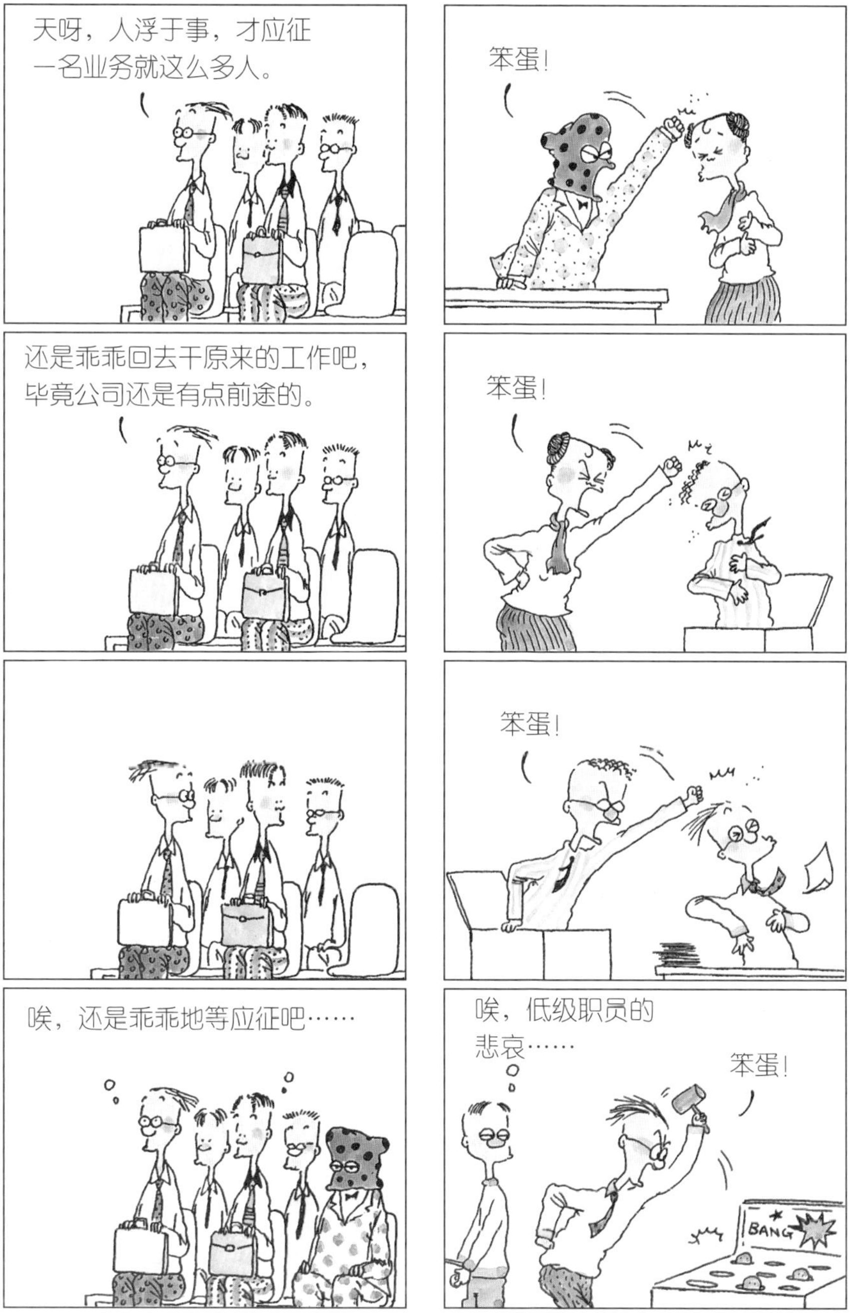
天呀，人浮于事，才应征一名业务就这么多人。
笨蛋！
还是乖乖回去干原来的工作吧，毕竟公司还是有点前途的。
笨蛋！
笨蛋！
唉，还是乖乖地等应征吧……
唉，低级职员的悲哀……
笨蛋！
BANG

贵的电脑出问题往往出在该电脑最贵的部分。

电脑永远不停地更换新技术，老板永远不停地更换新员工。

千万别上色情网站，它会在你对客户作简报时突然跳出视窗。

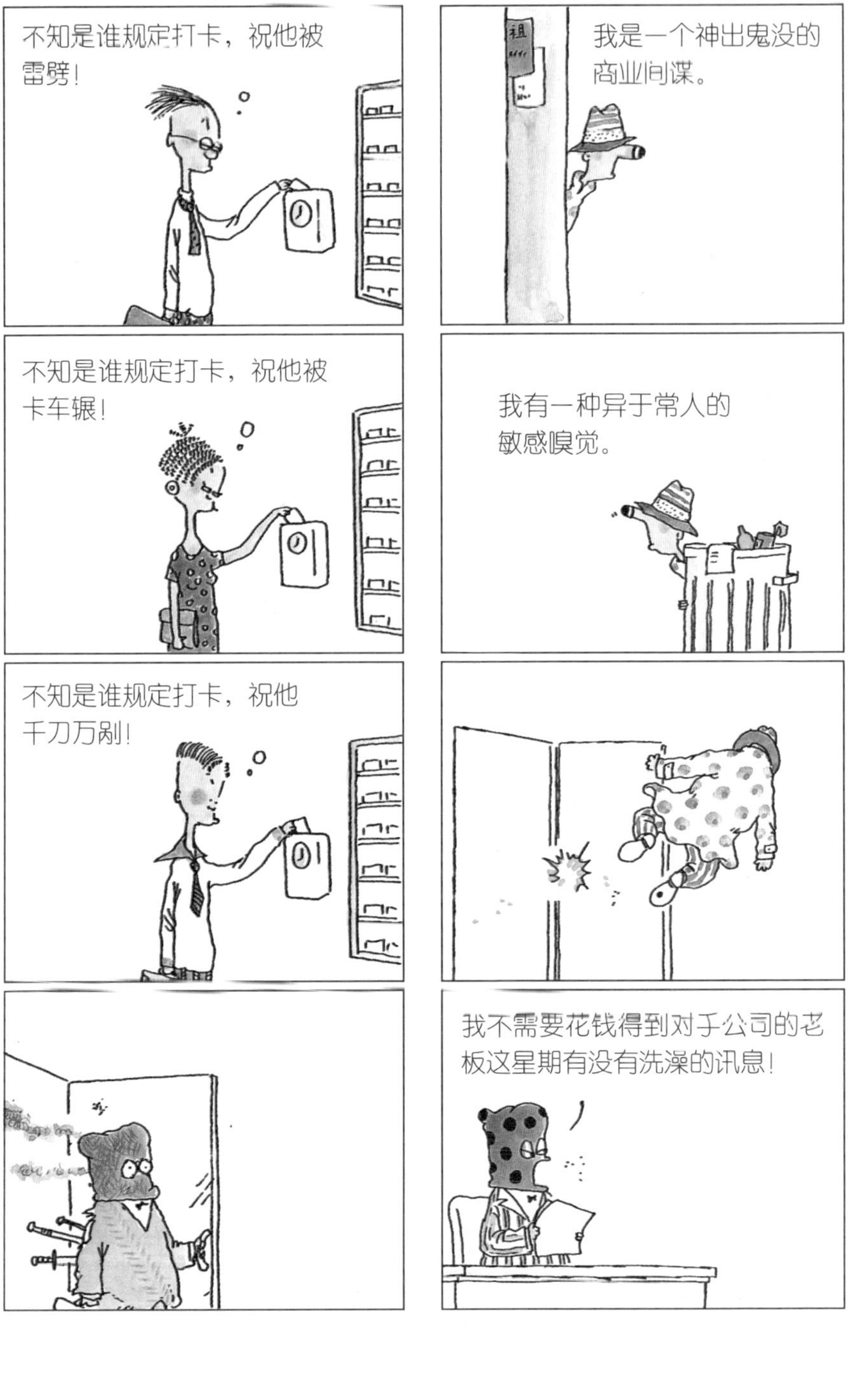
不知是谁规定打卡，祝他被雷劈！
不知是谁规定打卡，祝他被卡车辗！
不知是谁规定打卡，祝他千刀万剐！
我是一个神出鬼没的商业间谍。
我有一种异于常人的敏感嗅觉。
我不需要花钱得到对手公司的老板这星期有没有洗澡的讯息！

我是一个商业间谍。
我翻别人的资料，也查别人的存档。
任何可能收集到情报的地方我都不会放过。
包括一般人认为最没价值的地方我也翻。
有没有什么有价值的情报可提供？
空心菜一斤二十五元，菠菜一斤十八元……
我花钱又不是请你调查菜价！
我是他的律师，这拳一斤要五千元。

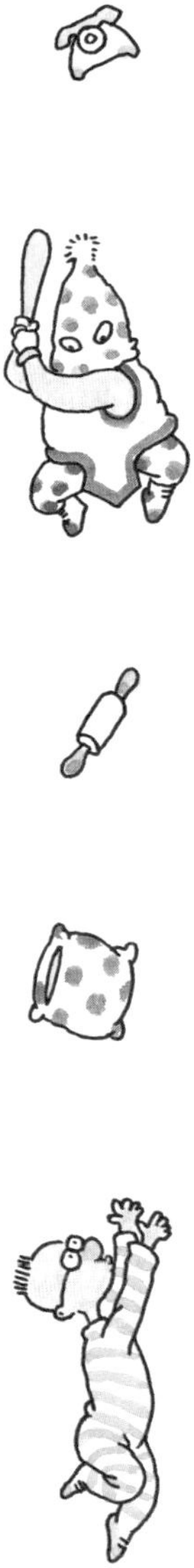

●把公事做好的三个方法：
(1)推给别人做。
(2)找一群人大家一起做。
(3)别做。

●勤能补拙，但未必能补贴你的薪水。

吃摇头丸?
没有。
那你为什么一直摇头?
因为在公司里我只有点头的份。

看着我的怀表，你已经被催眠了。
现在像个傻瓜一样毫无保留地说出你的商业机密。
你手上的怀表是本公司产品，成本才二十元，大家却花两千元去买……
现在我觉得自己像个傻瓜……

有没有重要的消息
可以告诉我？
水泥股不要随便买，
电子股不要随便卖。
还有什么？
女人的屁股不
要随便摸。
谁让你挂美女海报？！
挂美女海报有助于提
高工作情绪。
嗯，有理。
挂丑女海报有助于
我的工作情绪。

努力的人会努力地工作，
不努力的人会努力地让你工作。

老板苦不堪言定律：
(1)好用的员工总是待不久。
(2)不适用的员工则赶不走。

(3) 高薪挖角过来的员工会让你跌破眼镜。

(4) 表现平平的员工会在你的对手公司里表现优异。

(5) 不论公司规模大小，无用之人永远占总人数八成。

真想把自己嫁掉，这样就不必天天看老板的脸色了。
真想把她嫁掉，这样就不必天天看她的脸了。
如果你把化妆的心思花在业绩上就好了！
说的也是。

上班不专心！
开会不专心！
哈，终于下班了。
约会不专心！

人生是很短暂的。
有多短暂？
短暂到连感叹人生短暂的时间都不会有。

● 老板要会算账，员工要会打仗。

老板账算得好，员工才有薪水。

员工仗打得好，老板才有利润。

● 上班族步步高升宝典：

(1)只做分内的工作。

(2)别把事情做得太完美，否则老板会以为你适合的就是这位子。

(3)等做到中级主管后，你可以开始让老板感觉你不可取代。

(4)能力不在高低，而在于你巴结的人职位高低。

喂，我是老板，我现在急需你做的企划案。
立刻传真过来给我，我急着要用。
卫生纸刚好用完……

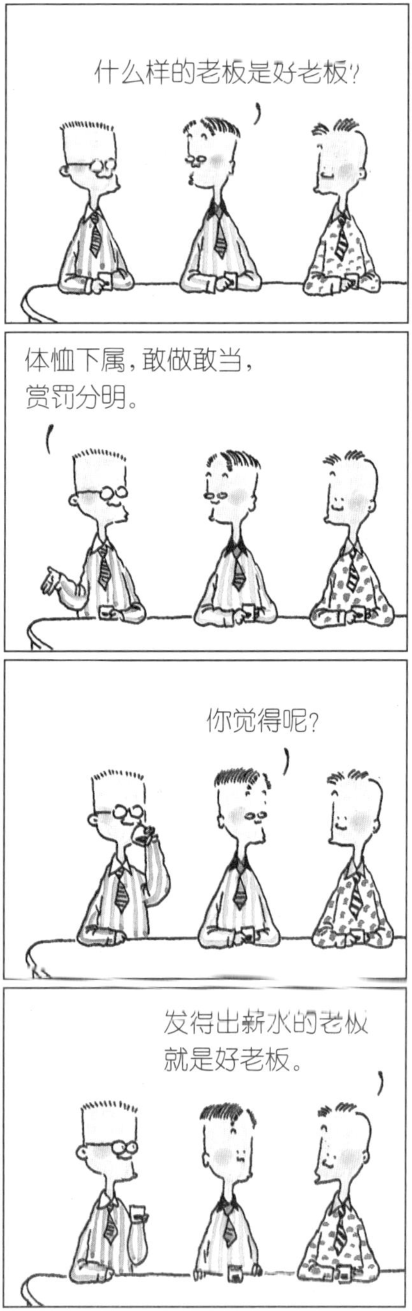
什么样的老板是好老板？
体恤下属，敢做敢当，赏罚分明。
你觉得呢？
发得出薪水的老板就是好老板。

我每天起来都要抽三根烟才会开始清醒。
你怎么一次抽三根？
我今天赶时间。

别找我，我很忙。
会议室
别找我，我很忙。
别找我，我很忙。
呼，忙着告诉大家我很忙，就已经忙死我了……

(5)职位不在高低，而在于你的权力有多大。权力不在大小，而在于你的老板认不认可你使用这份权力。

(6)请注意：你的职位高低未必与薪资成正比，若成正比，则你在该职位上必定待不久。

●老员工好用，新员工好骗，不老不新的员工好烦。

——一个老板的心声。

●BOSS效率百分百：

(1)一旦要求员工注重效率，则作业会错误百出。

开会用的企划书来了。
开会用的市场分析图来了。
开会用的预算评估表来了。
开会用的老板来了。
看起来选择C餐比较划得来。
但B餐有附红茶、蛋糕比较合算。
可是A餐只需加十五元就有鸡尾酒跟冰激凌，符合最低成本最大利益。
唉，他们开会时也能这样就好了。

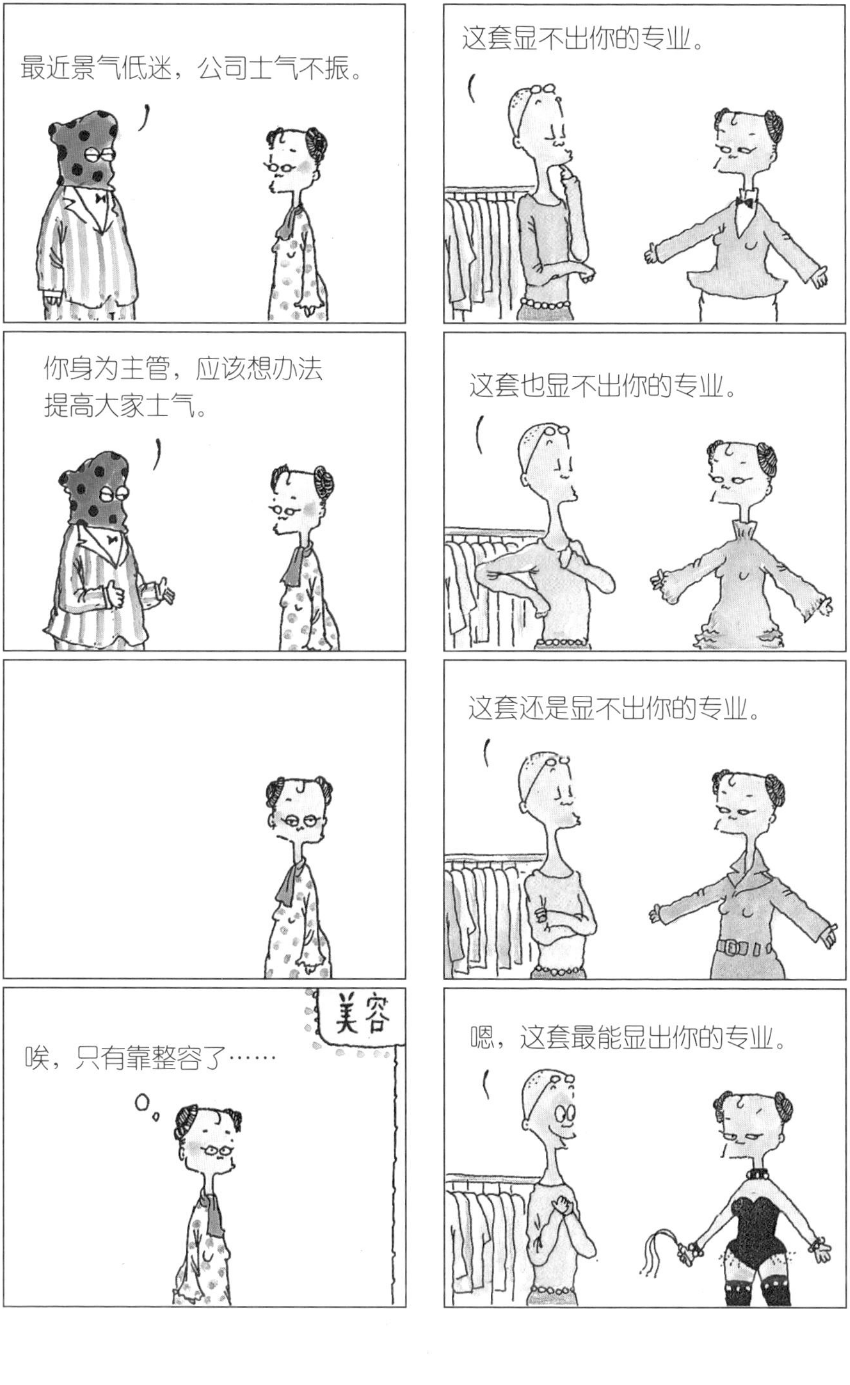
最近景气低迷，公司士气不振。
你身为主管，应该想办法提高大家士气。
唉，只有靠整容了……
美容
这套显不出你的专业。
这套也显不出你的专业。
这套还是显不出你的专业。
嗯，这套最能显出你的专业。

(2) 若不要求效率，则所有业务会无限期延迟。

(3) 如果又要求效率又要求不出错，则你会花费数倍薪资请更有能力的人。

(4) 无论花多少钱，永远达不到你要的效率，因为只要不是老板就无人在意效率。

主管年终评鉴私房语录：

(1) 非常负责。（会固定送礼。）

(2) 组织能力强。（下班凑牌搭子的能力很强。）

(3) 协调力高。（八面玲珑。）

(4) 积极进取。（阿谀谄媚。）

工作多，薪水少，
我不如死了算了。
那你希望怎么样？
时间短，工作少，薪水多，
休假长，福利好。
我不如死了算了。

好希望有度假的感觉。
我也是。
老板，公司好久没办员工旅游了。
大家都好希望能穿着泳裤晒晒太阳。
没问题。
她们现在有度假的感觉了。

(5)具团队精神。（需要别人帮衬。）
(6)忠诚度高。（没能力另谋高就。）
(7)任劳任怨。（白痴员工。）
(8)乐于助人。（从来不干正事。）
(9)无可取代。（怎么搞也搞不走的人。）

如果公司准你们去度假，你会怎么安排？
我会从早睡到晚。
醒来时就吃吃东西，看看窗外风景。
那你们现在每天都在度假。
我们双方代表已经磋商了好几个小时都没结果。
看样子咱们合并的计划不是那么顺利。
耐心点，合并案牵涉的层面较大，让他们专业去处理。
唉，又是这样，再来一局吧。

我失恋了……
别把外面的事带到公司来！
我失业了……
别把公司的事带到外面来！
太贵了，前面巷口的便当只有你价格的一半。
太贵了，后边的冷饮只有你价格的一半。
太贵了，旁边的水果只有你价格的一半。
太贵了，对门公司的员工薪水只有你价格的一半。
你被开除了

3

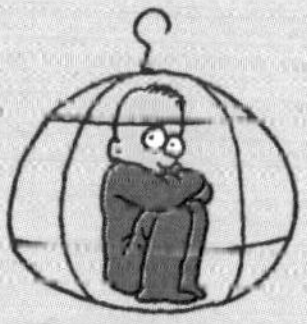

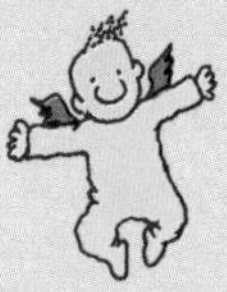

SOMEBODY NOBODY DEADBODY

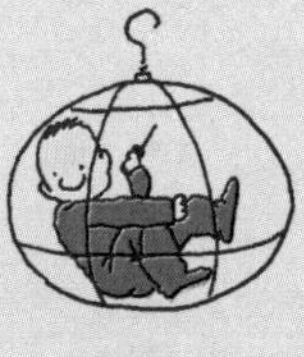

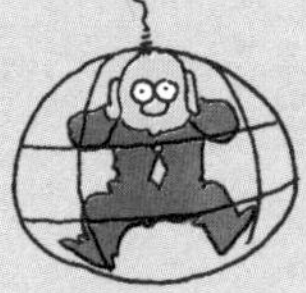

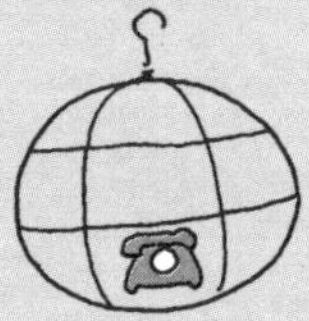

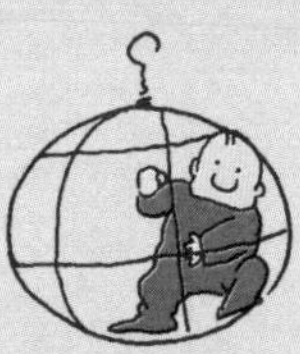

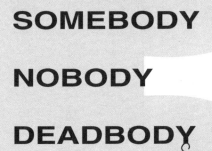

现在这个世界，企业每一秒钟的生命，比起上班族每一秒钟的人生要昂贵多了。但相反的，如果你是个快乐的NOBODY，比起拼命的SOMEBODY，是不是也要合算多了？

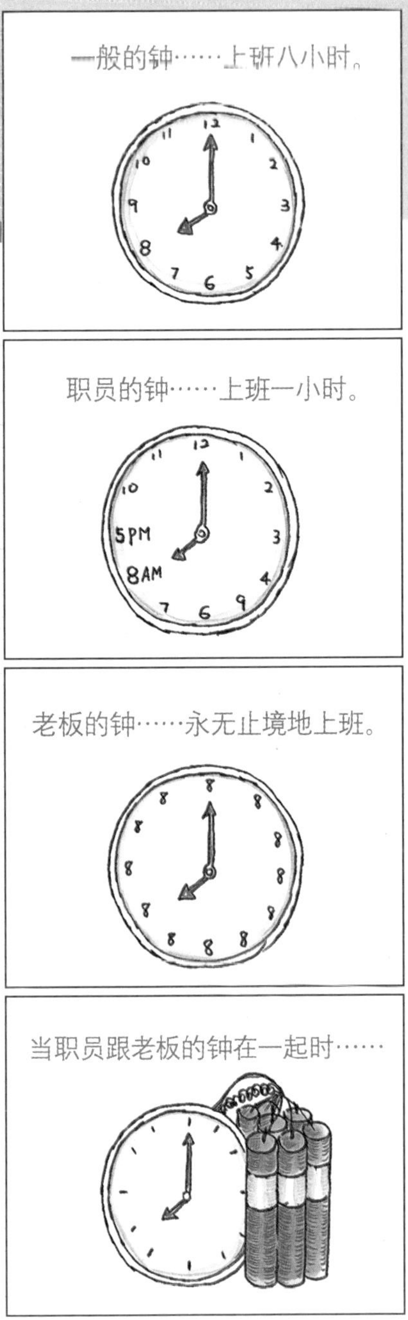
一般的钟……上班八小时。
职员的钟……上班一小时。
5PM
8AM
老板的钟……永无止境地上班。
当职员跟老板的钟在一起时……

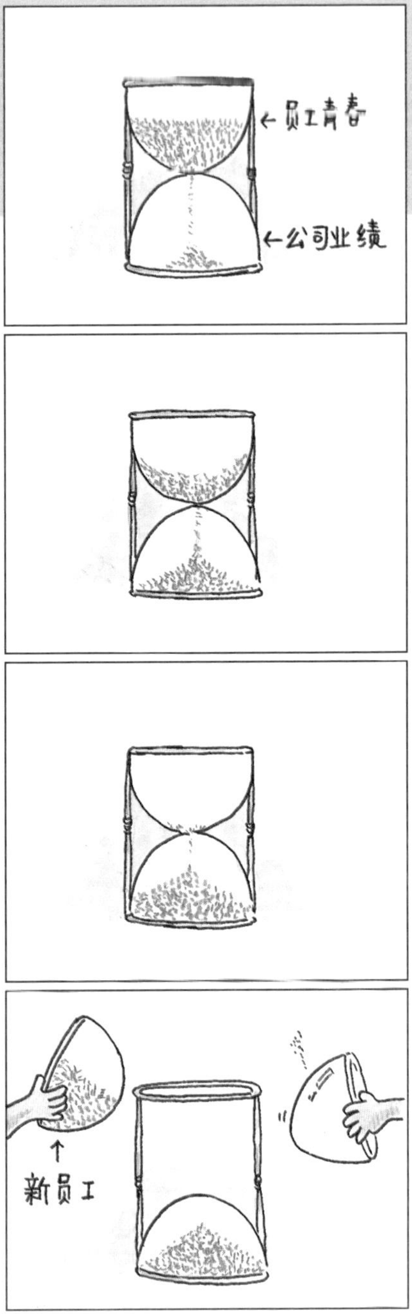
←员工青春
←公司业绩
新员工

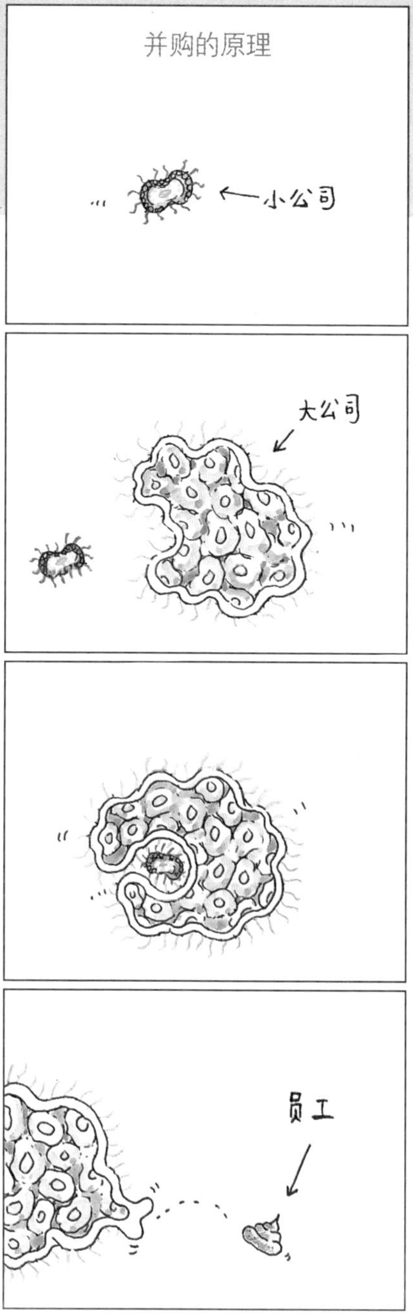
并购的原理
小公司
大公司
员工

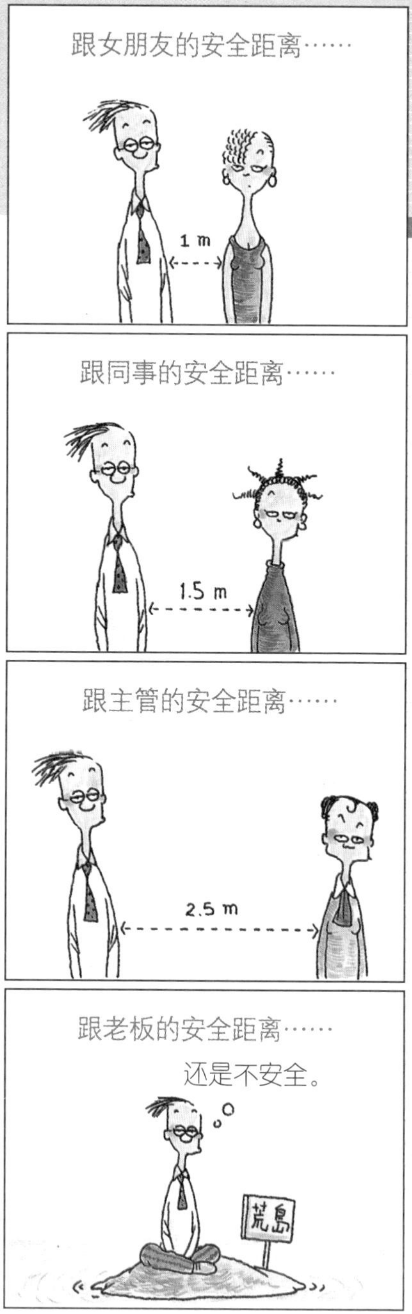
跟女朋友的安全距离……
1 m
跟同事的安全距离……
1.5 m
跟主管的安全距离……
2.5 m
跟老板的安全距离……
还是不安全。
荒島

野蛮人。
野蛮人。
野蛮人。
办公室的野蛮人。

老板开心时。
老板生气时。
老板平常时。
老板死掉时。

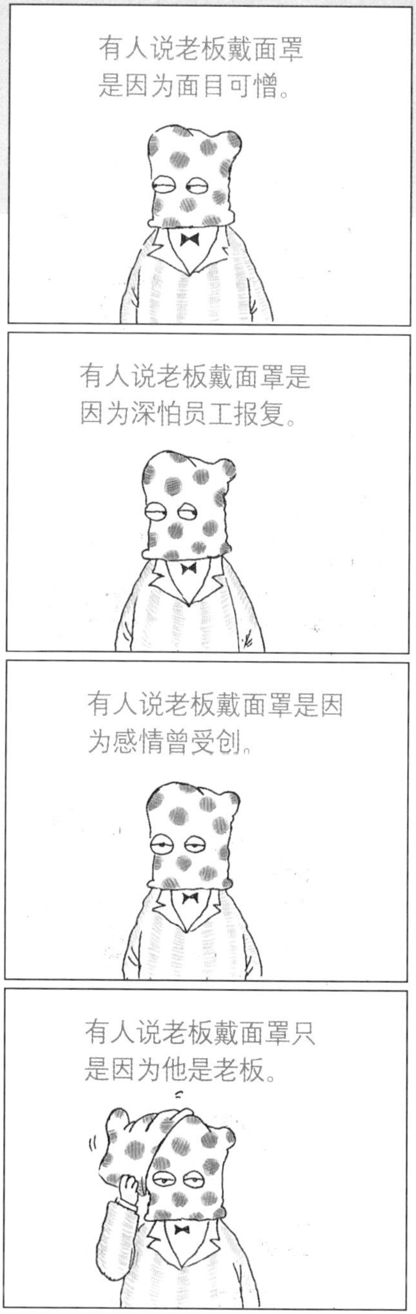
有人说老板戴面罩是因为面目可憎。
有人说老板戴面罩是因为深怕员工报复。
有人说老板戴面罩是因为感情曾受创。
有人说老板戴面罩只是因为他是老板。

老板跟老板之间总是互相比谁的公司大。
主管跟主管之间总是互相比谁的权限大。
员工跟员工之间总是互相比谁的薪资多。
老板跟员工之间总是互相比谁比较贱。

有人靠疯狂shopping来纾解压力。
有人靠麻痹自己来纾解压力。
有人靠度假来纾解压力。
有人靠另一个压力来纾解压力。
后面的压力比前面的压力大多了....
老板解决老板与老板之间的事。
高级主管解决老板的事。
中级主管解决员工的事。
员工只能解决自己的人生。

人生就是带雨伞时不下雨，
下雨时却忘了带伞。
人生就是勤奋工作时老板没看见，偷懒摸鱼时就被撞见。
人生就是喜欢的男人不喜欢我，
不喜欢的男人还是不喜欢我。
人生就是当你开始思索人生是什么时，你已经什么都不是了。

要成功，心中就必须具备三Sion。
就是Mission、Passion、Vision！
唉，员工心中只有Television……

●大多数人花了接近一半的人生拼命工作，为的就是让他的另一半人生能够不工作。

●你也许想不通人为什么要上班，但所有的消费指数都会让你想通。

●职位就像礼物盒一样，往往吸引人的只是包装。

Somebody Nobody Deadbody

早上喝一杯咖啡，是必要的。
中午好好吃一顿，是必要的。
下午打个盹，是必要的。
Z
Z
月初发薪水，是必须去要的……
不上班你就是Nobody。
上班你就是Somebody。
那介于上班与下班之间呢？
你只是一个Deadbody。

我拿最高级的皮包。
我穿最高级的衣服。
我用最高级的鞋子。
但我却做最低级的工作……
早上吃最便宜的三明治。
中午吃最廉价的便当。
晚上吃最省钱的汉堡。
Closed
然后跟最昂贵的女人约会……

● 人与企鹅一定是近亲，否则不会每天有那么多人西装革履地集体出动去上班。

● 如果你拼命工作就会过劳死，如果你整天打混就会过穷死。

● 公司里美女的多寡和公司效率成反比。

● 公司里美女的多寡和公司洗手间占用率成正比。

● 男人和女人的根本差别在于：女人注重的是年龄，男人注重的是年薪。

● 男人下班时幻想着自己娶不到的女人，上班时幻想着自己坐不到的位子。

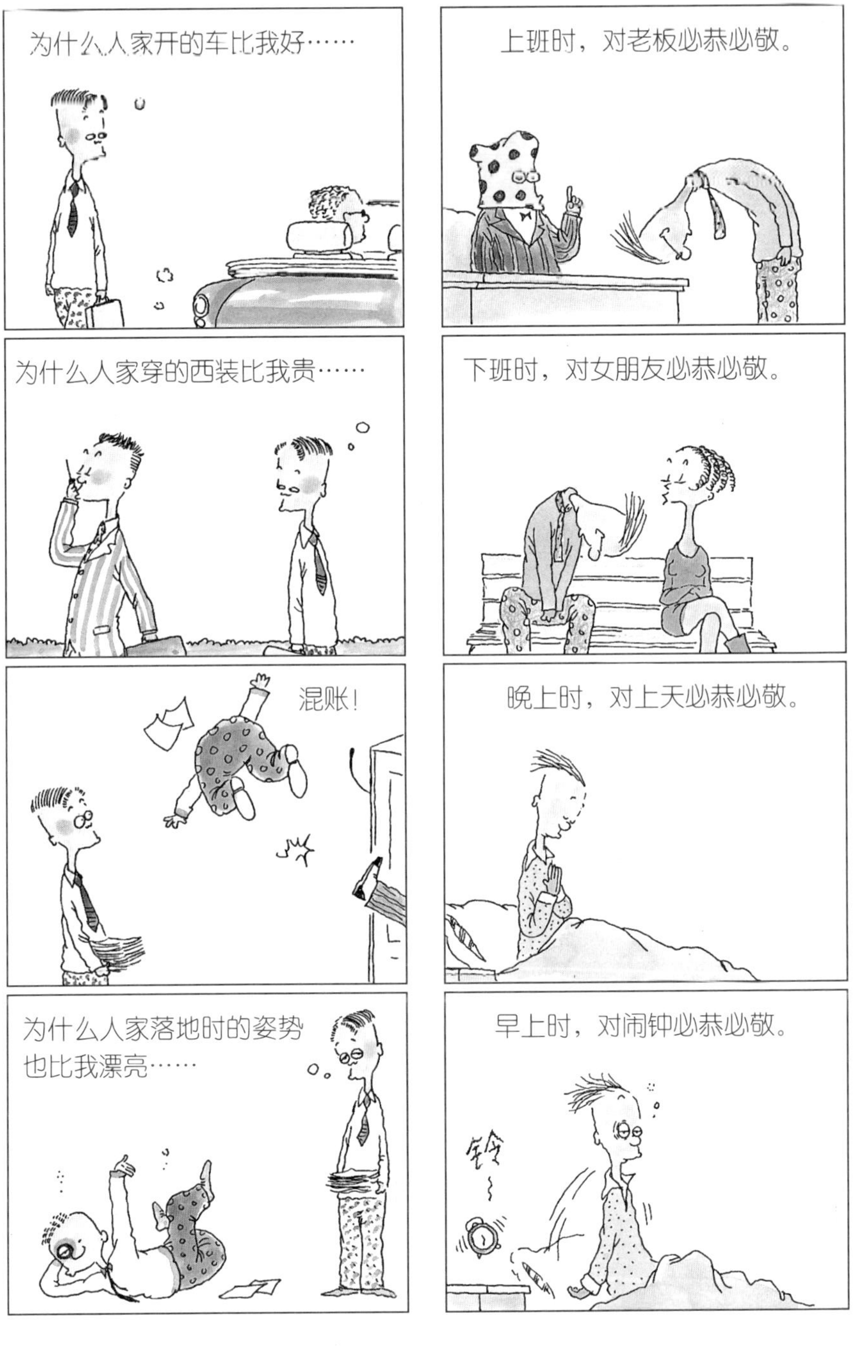
为什么人家开的车比我好……
为什么人家穿的西装比我贵……
混账！
为什么人家落地时的姿势也比我漂亮……
上班时，对老板必恭必敬。
下班时，对女朋友必恭必敬。
晚上时，对上天必恭必敬。
早上时，对闹钟必恭必敬。
铃～

到底该采用A方案还是B方案，
或者C方案？
到底该删除A预算还是B
预算，或者C预算？
到底该实施A计划还是B计划，
或者C计划？
到底要吃A套餐还是B套
餐，或者C套餐？
为什么别人吃大餐，我吃便当？
为什么别人开大车，我坐公车？
为什么别人带美女，我带
丑八怪？
为什么别人都是为了
什么而活着，我却是
活着为了什么？

●●薪水越高越容易被裁员，薪水越低越容易被取代。

●●好男人求职秘诀：

(1) 强调自己的优点。

(2) 夸大别人的缺点。

(3) 对主管多多打点。

老板成功的秘诀在于不断的努力，努力找一群老实的员工为他卖命。

老板就是：明明是你在拼命养他，看起来却像是他在拼命养你的那个人。

老板和老婆的差别在于，前者比较容易甩掉。

上班几年如果还在坐公车，就表示我的人生是失败的。
上班几年如果中餐还在吃便当，就表示我的人生是失败的。
上班几年如果还是买不起想要的东西，就表示我的人生是失败的。
上班几年如果员工一片抱怨声，就表示我这老板是成功的。
唉，这种工作不干也罢。
说的就是，此处不留爷，自有留爷处。
对呀，随便闭着眼都能找到更好的工作。
说了半天，就没有一个进来递辞呈……

可恶，混蛋！
出气包
一次10元
哈，打完心里舒畅多了，一次才10元。
可恶，混蛋！
哈，打完心里舒畅多了，不要钱。
相当于我三个月的薪水。
相当于我六个月的薪水。
相当于你一辈子的薪水。

- 老板和老婆最相似的地方在于：两者都拥有领导权。
- 别激怒你的老板，否则他会用薪水激怒你的老婆。
- 以不变应万变，这条法则同时适用于老板和老婆。

Somebody Nobody Deadbody

●天下没有完美的老板，只有让职员完蛋的老板。

●我未来的钱都先存在老板那儿。

——一个悲观上班族如是说。

●聪明的老板吸引努力的员工。

努力的老板吸引聪明的员工。

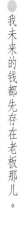

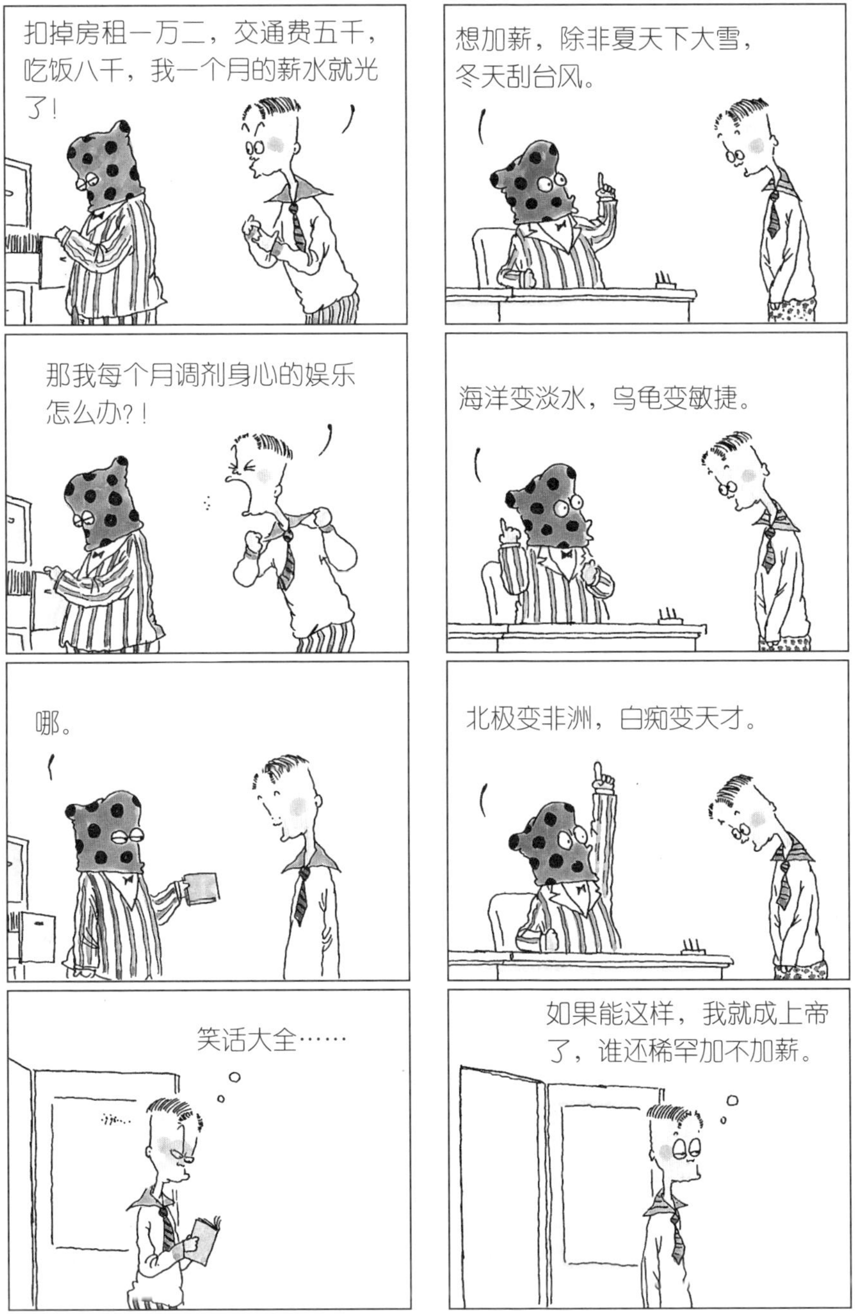
扣掉房租一万二，交通费五千，吃饭八千，我一个月的薪水就光了！
想加薪，除非夏天下大雪，冬天刮台风。
那我每个月调剂身心的娱乐怎么办?！
海洋变淡水，乌龟变敏捷。
哪。
北极变非洲，白痴变天才。
笑话大全……
如果能这样，我就成上帝了，谁还稀罕加不加薪。

●职员分三种：悲观主义者、乐观主义者、薪水主义者。

●老板也分三种：理想主义者、现实主义者、开除主义者。

●员工最爱听的是「加薪」，老板最爱听的是「加班」。

大多数的职员都是悲观主义者。因为一旦你开始乐观，老板就会把你变得悲观。

做事的上班族需要具备能力。

不做事但看起来好像做了许多事的上班族需要更高明的能力。

Somebody Nobody Deadbody

喝了红酒，觉得自己在巴黎。
吃了大餐，觉得自己在纽约。
喝了咖啡，觉得自己在米兰。
拿了账单，觉得自己应该回办公室加班……

你推荐什么？
如果您月入四万，我推荐吃鸡排，月入六万，我推荐吃牛排，月入十万，我推荐吃龙虾。
如果我月入不到三万呢？
我推荐您去另一家餐厅。

如果老板加3000元薪，我就可以把这旧领带换掉。
如果老板加5000元薪，我就可以把这土西装换了。
如果老板加10000元薪，我就可以把这破鞋子换掉。
如果老板加20000元薪，我就可以把这烂女朋友换掉。

我计划星期一去买汽油，星期二把该交代的事处理好。
星期三跟家人诀别，星期五到公司自焚。
你怎么把星期四给漏了？
星期四不是要发薪水吗？

●乐观主义者就是，拿再少的薪水也很高兴。悲观主义者就是，拿再多的薪水也不开心。

●现实主义者就是，等领到薪水再决定自己是乐观主义还是悲观主义。

●想测试出员工的抗压性，得先从扣他薪水着手。

用完早餐后吃一粒抗忧郁症的药。
用完中餐后吃一粒抗忧郁症的药。
用完下午茶后吃一粒抗忧郁症的药。
发完薪水后吃一瓶抗忧郁症的药……

请问这位子有人坐吗？
也许有，也许没有，如果你表现良好，不是你的位子也会变成你的位子。
如果表现不佳，是你的位子也会变成别人的。
真受不了这些考核业绩的家伙……

生病可以请一天假。
意外可以请两天假。
为什么发疯，半天假也不准请？
因为生病、意外偶尔才发生，但老板每天都会把你搞疯。
好想发财……
好想发财……
好想发财……
当每个员工都在想发财时，这个公司的老板就很难发财……

●所谓职员，就是可以逐字读完每一份报纸的小字，却无法逐行读完公司每一页报告的人。

●所谓老板，就是刚才用他的双手为你鼓掌，随后就用同一双手甩你巴掌的人。

●所谓上班族就是收入永远追不上物价的那种人。

人的前半生是为了什么？
为了证明自己有价值。
后半生呢？
为了证明别人没价值。
人生就是不停地犯错。
然后在犯错中吸取经验。
那你这些年从犯错中
吸取了什么经验？
大部分都是求职经验。
征
征
诚征
征

所谓怀旧就是当你想起上份工作薪水时的感觉。

所谓努力就是当薪水与账单相比较之后你会产生的一种心理状态。

所谓敬业就是当老板站在你桌旁时你所呈现的一种状况。

我想开了，我宁愿做爱情的奴隶，也不要做工作的奴隶。
我也是，人生苦短为何要葬身在工作里。
嗨，亲爱的，我们买完了。
唉，看样子，不先做工作的奴隶就很难当爱情的奴隶……
你能任劳任怨吗？你能绝对服从吗？
你能全心奉献吗？你能严苛律己吗？
你能脚踏实地吗？你能忠贞不二吗？
我要是有这些条件，我就先去求职而不是求婚了。

● 所谓自动退休，就是你还是每天去上班，但却啥事也不干。

● 所谓强迫休假，就是老板不发加班津贴的结果。

● 所谓专业人士，就是他拥有豪华轿车而他的老板拥有他的人。

请问您对收入满意吗？
不满意。
请问您对工作满意吗？
不满意。
请问您对人生满意吗？
不满意。
请问您对什么满意？
我对我的回答满意。
有些事不要太勉强。
有些事不要太勉强。
你说的没错，我买不起奢侈品，但至少谈得起恋爱吧！
有些事不要太勉强。

我把所有的薪水都花在脸上。
听说老板打算减薪百分之五十。
哼，我还是会把薪水全花在脸上。
现在的薪水只够我化妆一半的脸。
电线杆对狗很重要，对失业的人来说也很重要。
什么意思?
征
征
求才

所谓中产阶级，就是拥有车子、房子、妻子、孩子，但四者都只到中等程度的人。

所谓社会精英分子，大部分是老板。

所谓行销专家，就是能把几片碎牛肉弄得像一锅牛肉块的人。

●所谓创意，就是你的老板同意你做梦。

●所谓企划案，就是你给你的老板看，你的老板再给比他更大的老板看的你的一场白日梦。

●所谓趋势专家，就是能指出你公司所有问题但却让你自己去找答案的人。

蠢蛋!
笨蛋!
屎蛋!
忍着点吧，做什么蛋都比滚蛋好……
按时上班，按时下班，按时吃饭，按时睡觉，难道这就是我的人生？
不行，我不能就这样过一生，但我又该怎么改变呢？
咕
唉，先从改变吃饭时间开始吧……

所谓职员就是在两个时段不工作的人：
一是周一至周五，另一是周六至周日。

所谓贫穷的上班族，就是介于发薪日第二天到次月发薪日前一天那段日子的你。

奇怪的是自由企业里的人为什么一点都不自由？

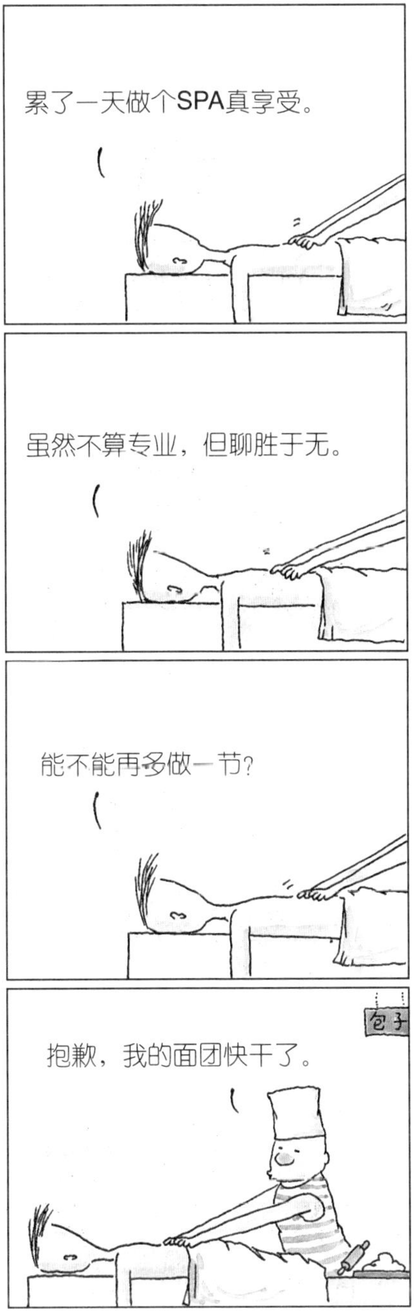
累了一天做个SPA真享受。
虽然不算专业，但聊胜于无。
能不能再多做一节？
包子
抱歉，我的面团快干了。

小姐，买张半票。
先生，你有没有搞错，你应该买全票。
我知道。
但我是跷班来看电影的，恐怕只能看一半。

可恶，你这不顾民族大义的小人，准备受死吧！
可恶，你这溜班的浑球，准备被开除吧！
咦？这句对白从哪儿跑出来的？
从你老板那儿跑出来的。
叶，好有爱心的老板……
这么体恤下属，激励员工，把职员当一家人看。
唉，为什么我们的老板不能像电影中的老板一样……
你们付给我同样的演员费，我也可以演给你们看！

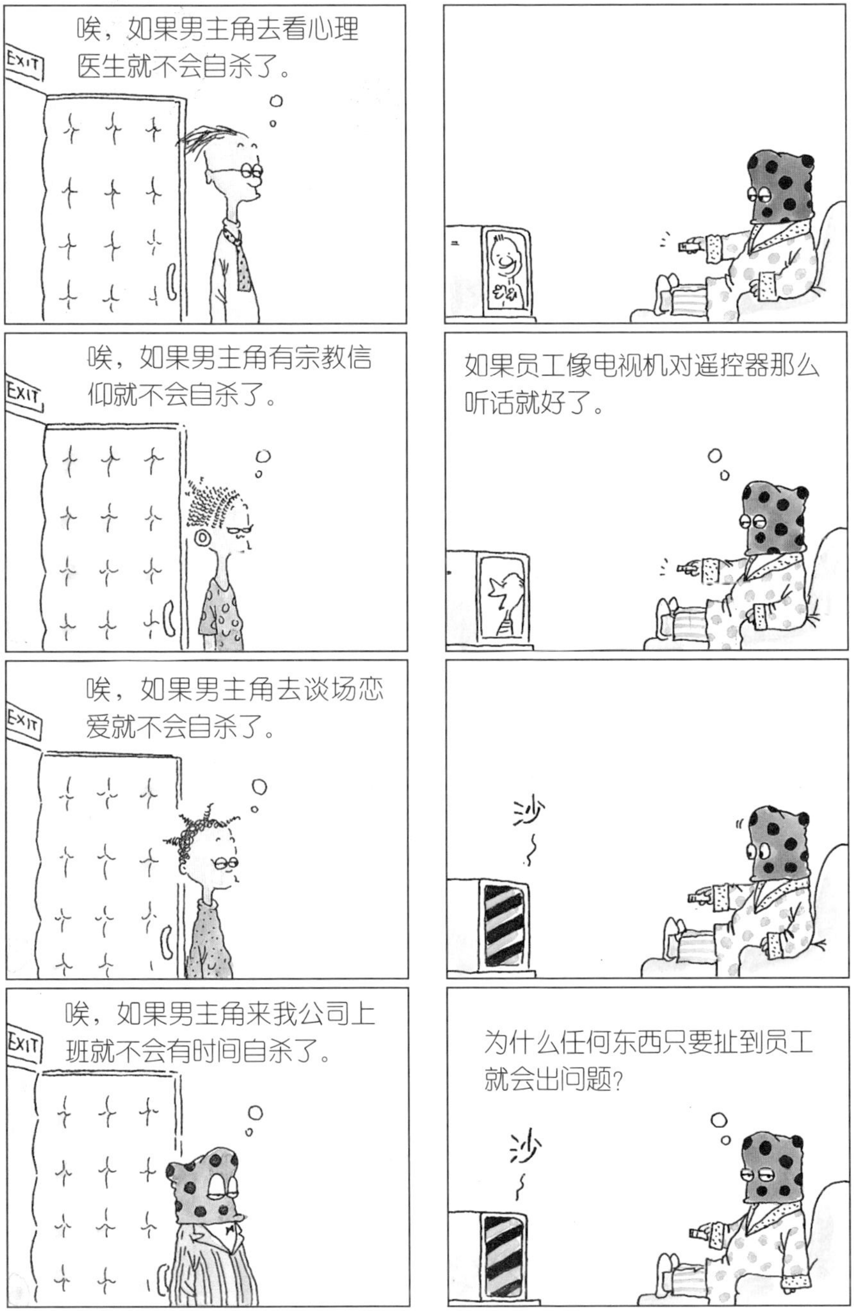
EXIT
唉，如果男主角去看心理医生就不会自杀了。
EXIT
唉，如果男主角有宗教信仰就不会自杀了。
如果员工像电视机对遥控器那么听话就好了。
EXIT
唉，如果男主角去谈场恋爱就不会自杀了。
沙～
EXIT
唉，如果男主角来我公司上班就不会有时间自杀了。
为什么任何东西只要扯到员工就会出问题？
沙～

10
9
8
7
6
5

▼上班族
黑白人生10大理论

1. 人生就像解答数学题，你永远缺一个符合标准答案的数字。

2. 人生不像巧克力，一磅的人生只等于一盎司的业绩。

3. 人生如同开会，寻找合适位子所花的心思远超过你开会时花的心思。

4. 人生就像一坨混水，穿新鞋者最先被溅到。

5. 人生就像一句口号，你的力气会在呼完口号后用罄。

6. 富者越富，穷者越穷。无数字观念者不在此限。

7. 真理会随着你老板的不同而改变。

8. 成功的人总是看起来很诚恳，诚恳的人则人生不会成功。

9. 人生局面是否按牌理出牌，端视谁握有那副牌。

10. 人生的原则，就是凡事别太有原则。

附注：以上理论仅限于上班族之人生。

▼小职员Trouble人生6大定律

1. 不论你怎么早起，公车总是姗姗来迟。
2. 你永远找不到心仪的工作，一旦找到，则主管一定难缠无比。
3. 喜欢的衣服一定买不起，买得起的衣服则刚好没有你的尺码。
4. 想要的东西永远得不到，得到的则早已过流行。
5. 午休时餐厅永远排长龙，若侥幸排在前列，则你的主管会排在身后，让你如坐针毡。
6. 老板会在你好不容易和公司之花约会的那一晚宣布加班。

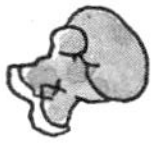

▼上班族恋爱不麻烦7大哲学

1. 二十四小时随身携带最新款手机。这并不是为了显示你多么先进，而是为了避免你的老板或你的情人临时找不到你，各类型麻烦会随之而来。
2. 二十四小时把自己当作电脑般服从指令：否则你的情人也许无法把你关掉，但会把你换掉。
3. 十句话中至少夹杂四句以上「我爱你」，而不是「今天可能要加班」。
4. 别交职位比你高的情人。
5. 别交薪水比你高的情人。
6. 别交已经是你主管的情人作情人。
7. 如果以上各项你都能达成，别考虑结婚，以免麻烦真的处理不完。

▼上班族自我脱困6大藉口

1. 生死由命，富贵在天。
2. 该我的别人拿不走。
3. 人生有比工作更重要的事。
4. 老板有老板的烦恼。
5. 我只能活这辈子。
6. 有钱人没一个好东西。

P.S. 但他们却拥有许多好东西。

小职员
可怜人生新发现

1. 每天辛苦工作八小时，然后你会得到老板的赞许，之后你会每天工作十二小时。

2. 每天辛苦工作十二小时，则你会成为老板，然后辛苦监督员工工作八小时。

3. 你也许不知道自己在做什么，但你主管的评鉴会让你知道。

4. 若你觉得和搭档合作良好，则老板会觉得只需要你的搭档即可。

5. 若你觉得和主管沟通不佳，则他可能很快会取代你的老板成为新老板。

6. 白天你和处不来的同事同室做工，晚上你和合不来的老婆同床做梦。

7. 你惟一拥有自主权的时候是午饭选择A套餐或B套餐。

8. 人生不是用来做你自己，而是用来作贱自己。

公司的经验是要花钱买的，问题是老板的钱还是员工的钱。

老板像高尔夫球，独自一颗在整片草原奔驰；职员像撞球，五颜六色，全挤在一张台面上相互撞击。

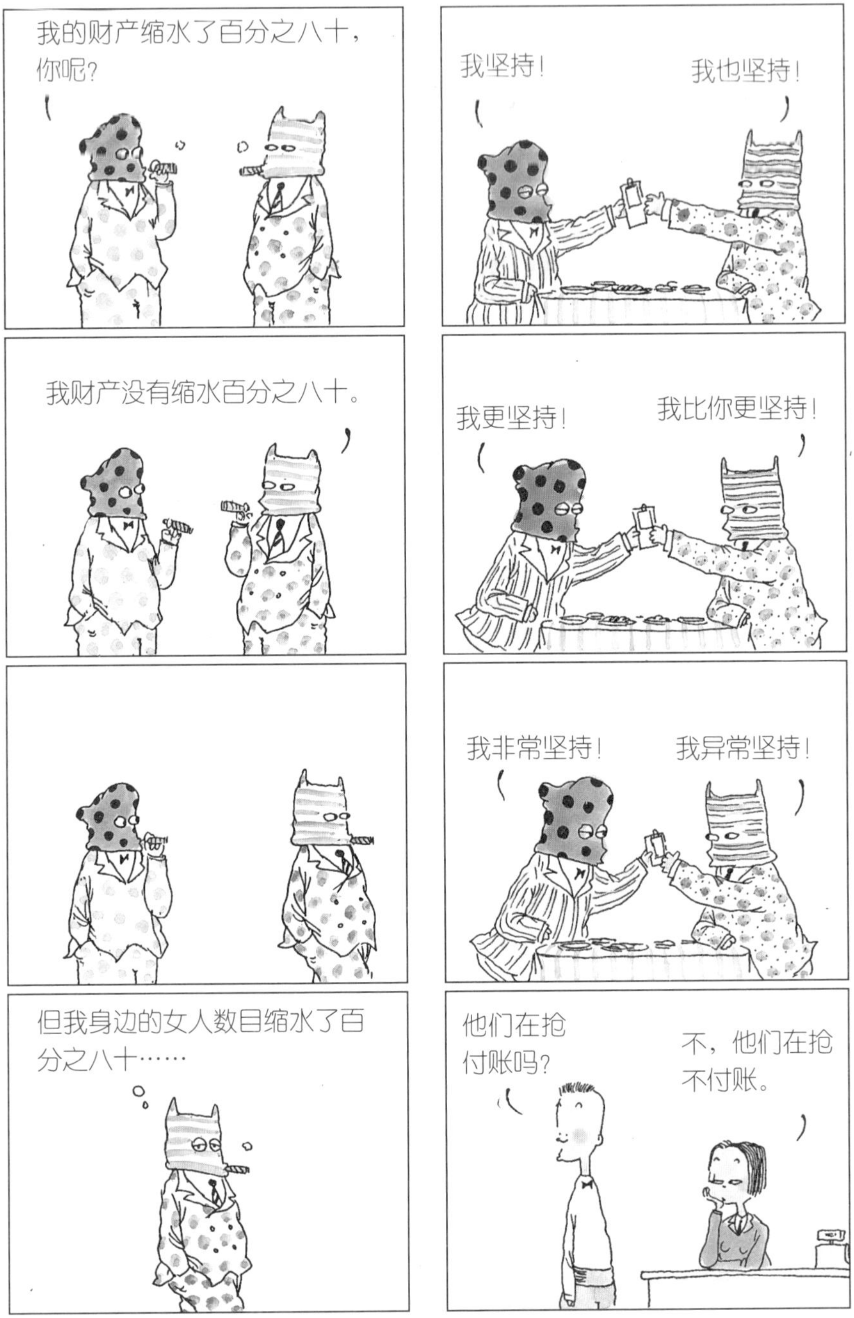
我的财产缩水了百分之八十，你呢？
我财产没有缩水百分之八十。
但我身边的女人数目缩水了百分之八十……
我坚持！
我也坚持！
我更坚持！
我比你更坚持！
我非常坚持！
我异常坚持！
他们在抢付账吗？
不，他们在抢不付账。

所谓覆巢之下无完卵，公司存在，员工才存在。
那如果员工不存在，公司还会存在吗？
当然还存在。
以后你这种一人公司的老板别进来！
企业管理
研习班
哇
哇
哇
我们对未来公司的发展非常乐观。

人生就是：你想吃蛋糕会吃到面包，你想当老板却做到职员。

你可以决定你的人生、你的兴趣、你的风格、你的品味、你的情人，但薪水高低则由你的老板决定。

一天发生两次好事的几率与一周发两次薪水几率一致。

老板发钱，

老婆发威，

老职员发牢骚。

你的腰怎么这样硬，要多练习。
其实有的时候我的腰是很柔软的。
什么时候?
拜托，拜托，求求你千万别抽银根……
BANK
唉，生意不好做。
生意不好做。
月底再结。
唉，生意不好做。

别人的老板总是比较好？

像老婆一样，等他变成你的就再也不够好了。

老板越聪明，则拥有的员工越笨。

老板越笨，则基本上没有固定员工。

公司十诫：

最近公司业绩如何？
我好想结婚。
你想结婚跟公司业绩有何屁关系？
是没关系，但结果都很悲惨。
先生，请买单。

(1) 诫强出头。
(2) 诫主动召开会议。
(3) 诫发生办公室恋情。
(4) 诫穿得比老板好。
(5) 诫长得比女主管漂亮。

唉，在高层怕被飞机撞……
在低层怕被水淹……
哈，还是在中层最好。
中层主管将成为下一波裁员对象……
咦，公司员工都跑哪里去了？
都去结婚了。
怎么会所有的员工都这么巧去结婚了？
因为你昨天说有家室的员工将会列入最后一波裁员名单。

景气持续恶化，公司再也撑不下去，裁员势在必行。
但公司上星期才裁了一批不努力的笨蛋。
现在剩下的都是非常努力的人呀！
很努力的笨蛋也必须要裁了。

A公司快倒了。
我知道。
B公司快倒了。
我知道。
C公司快倒了。
我知道。
你的公司也快倒了。
这我不知道。

(6)诫穿得比同事差。
(7)诫独立作业。
(8)诫早到迟退。
(9)诫发表与上层相左的意见。
(10)诫同情公司黑羊。

●别把工作做得太糟，否则你的老板会生气。
别把工作做得太好，否则你的上司会生气。

●上班族减压大放送：

(1)每隔三十分钟喝一杯咖啡，直至心脏受不了为止。

唉，血流成河，一片哀嚎……
这已经不是一个“惨”字所能形容于万一。
你在看有关战争的报道吗？
不，我在看这个月的业绩报表。
什么，三千万的生意，太少了，我没兴趣做。
什么，一亿的生意，太少了，我没兴趣做。
什么，三亿的生意，太少了，我没兴趣做。
什么，三百元的电费，太少了，我没兴趣交。

今天心情特别好，我逃了好几千万的税。
怎么逃的？
我有好几亿的生意没做成。

唉，生意一天比一天走下坡……
别难过，我们要化悲愤为力量。
嗯，有理，应该化悲愤为力量！
我打死你们，打死你们这些米虫！

(2) 每隔一小时听一次办公室谣言，直到听到自己的谣言为止。

(3) 每隔二十分钟和朋友互通MSN一遍，直至对方或自己被主管逮到为止。

(4) 每隔三小时打盹一次，直至被老板敲醒或被自

己鼾声吵醒为止。

● 公司PARTY定律：

(1)不管你如何提前出门，你的主管一定比你先到会场。

(2)不管你多么提前到场，你想巴结的主管早已被

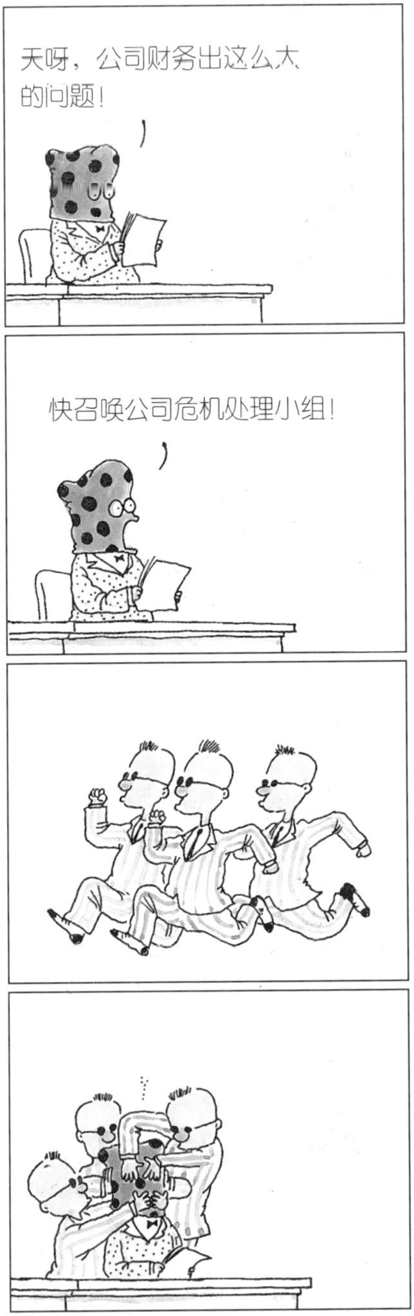
天呀，公司财务出这么大的问题！
快召唤公司危机处理小组！

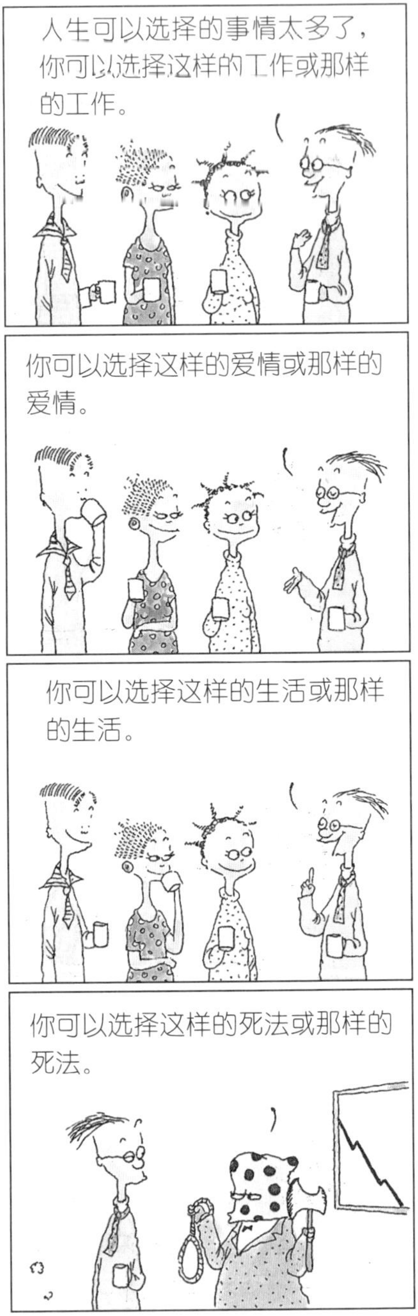
人生可以选择的事情太多了，你可以选择这样的工作或那样的工作。
你可以选择这样的爱情或那样的爱情。
你可以选择这样的生活或那样的生活。
你可以选择这样的死法或那样的死法。

不要想公司能为你做什么。
要想你能为公司做什么。
我能为公司浪费青春，公司能为我浪费薪水。

先生，要剪什么头？
随便，剪一个会让老板满意的头吧。

其他想巴结的同事围绕。

(3)如果你不小心把饮料泼出，殃及的人一定是你的主管。

(4)当你好不容易切入上层主管谈话圈时，你会发现该话题根本插不上嘴。

(5) 等你退出谈话圈二十秒内，那些主管会互相谈起你的问题。

(6) 你在宴会的表现会比办公室的表现笨拙一倍。

● 能力强的人，人际关系一定不好。能力不强的人，老板关系一定很好。

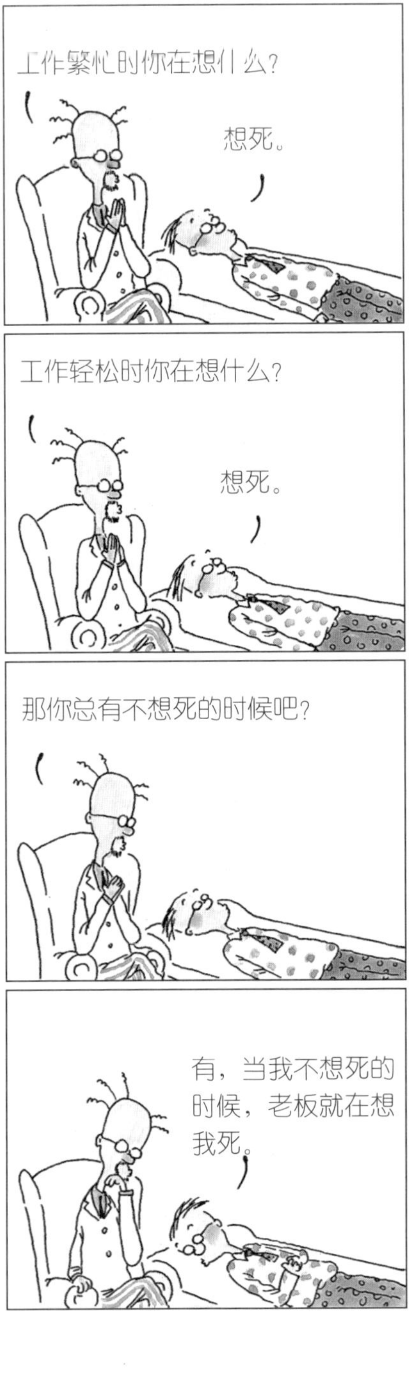
工作繁忙时你在想什么？
想死。
工作轻松时你在想什么？
想死。
那你总有不想死的时候吧？
有，当我不想死的时候，老板就在想我死。

同事之间相互猜忌、斗争，为了一点业绩大打出手。
那是因为现代压力，让他们每人每天吃一粒这个药就好了。
怎么样，情形有改善吗？
有，他们不再为业绩大打出手，他们现在为抢着服药打成一团。

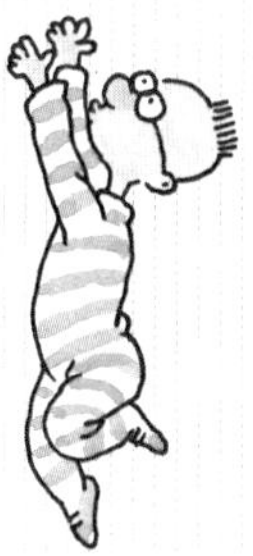

● 白手起家的老板最麻烦之处在于，他非常清楚基层员工在搞什么鬼。

● 有些员工是老板的麻烦，有些老板是员工的大麻烦。

● 你的人生在上班中一点一滴流逝，你的薪水则在百货公司你老婆手中一点一滴流逝。

经评估，他是个疯子。
他也是疯子。
他一向任劳任怨，骂他也从不还口，他总不是疯子吧。
他是聋子。
这是心理测验师对公司员工做的心理评估。
百分之六十的人有狂躁症，百分之三十的人有忧郁症，剩下的有失忆症。
也许我开精神病院比开公司有前途。

人伙在问年终奖金发几个月?
年终奖金……
公司都快完了，还发个屁年终奖金!
年终奖金……
连老板也挂记着年终奖金，今年是发定了。
大伙在问临终奖金发几个月?
……在哪里? ……

如果诸位能答出正确数字，今年年终奖金就发六个月。
37589479×483722079再÷293748等于多少？
哔，时间到，很抱歉，明年运气会更好。
正确数字是多少我不晓得，我只知道年终奖金的正确数字是零。
A公司发年终奖金两个月。
B公司发年终奖金三个月。
你们公司呢？
我们老板只是发神经。

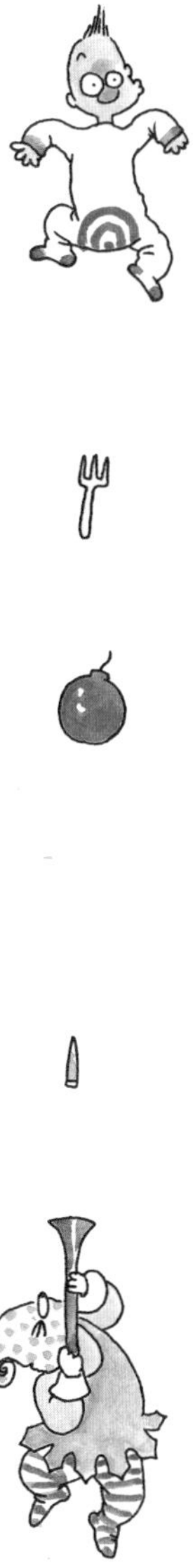

Somebody Nobody Deadbody

● 如果你的老板很爱说话，你要学会努力做事。如果你的老板很会做事，你要学会说话技巧。

● 所谓会计师，就是把大数字变成小数字，再把小数字变成无数字，然后把那些无数字装进你老板口袋里的人。

你们平常不是喜欢摸鱼吗?
这一次让你们摸个够!
尾牙摸彩
唉，这次化装舞会我想化装成鬼，但怎么化都不像。
你被开除了。
哇，好像鬼。哇，真像。

12号。
哈，是我吔！
我怎么知道是抽签裁员，
我还以为是万圣节摸彩。
听说公司快倒了。
听说公司快倒了。
听说公司快倒了。
听说公司快倒了。

● 出席上班族婚礼的高阶主管人数多寡，与新郎或新娘在公司前途的光明程度成正比。

● 自我评价低的员工会被开革，自我评价高的员工会要求加薪，所以也会被开革。

● 银行下雨天收伞时，会连你的雨鞋一并拿走。

●约会越重要，你的主管越会突发灵感找你加班。如果当天你准备求婚，你的老板会临时召开紧急会议。

●假期越长，你越是哪儿也不想去。一旦你决定度假地点，你就会开始生病。

哭脸……笑脸……哭脸……
……笑脸……哭脸……笑脸……
……哭脸！
各位员工，这个月薪水发不出来。
气死我了，停水跟这档事有个屁关系！
可恶，停水跟这件事八竿子打不在一起！
浑球，停水跟这事怎么会搅在一块！
出纳
响应政府
限时停水政策
本月薪水
停发

您好，我是美商公司。
您好，我是法商公司。
您好，我是日商公司。
您好，我是奸商公司。

旧的一年马上就过了，我决定跟旧的自己说再见。
在新的一年我决定做全新的自己，让大家刮目相看！
这种奋发图强改变自己的精神真是令人佩服。
整型外科
我要割双眼皮，做下巴，垫鼻梁……

● 你的人生永远在不可能中寻找可能性，你的老板查你的错处时也是。

● 老板和职员都属社会化动物，而后者是爬虫类。

● 当老板告诫你退一步就海阔天空时，你最好提防后面是不是断崖。

- 别人的薪水如同别人的孩子，你并不拥有管辖权。
- 就因为每个人都想赚不麻烦的钱，所以钱赚起来很麻烦。
- 如果上天知道现代上班族工作量这么大，当初就会创造一天四十八小时。

又是新的一年，新年新气象。
你确定吗？
难道我就这样朝九晚五地过一生吗？
难道我就这样庸庸碌碌地过一生吗？
难道我就这样没没无闻地过一生吗？
难道我就这样听人发牢骚过一生吗？

早上七点起床，八点出门，九点进公司，十点小组会议。
我为什么要上班？……
十一点主管汇报，十二点老板精神训话，一点半赶报告……
我为什么要上班？……
两点半提企划，三点半业务检讨，四点部门协调会议，五点打卡下班。
你被开除了！
上帝用了七天创造世界，老板只用了八小时就把我的世界毁了……
唉，我要不要上班不重要，老板要不要我上班才重要……

● 如果上班是一种病症，每个病人都想换床位。

● 一年上班三百六十五天，你会得到薪水、奖金和加班费。

一年不上班三百六十五天，你会得到真正的人生或真正的贫穷。

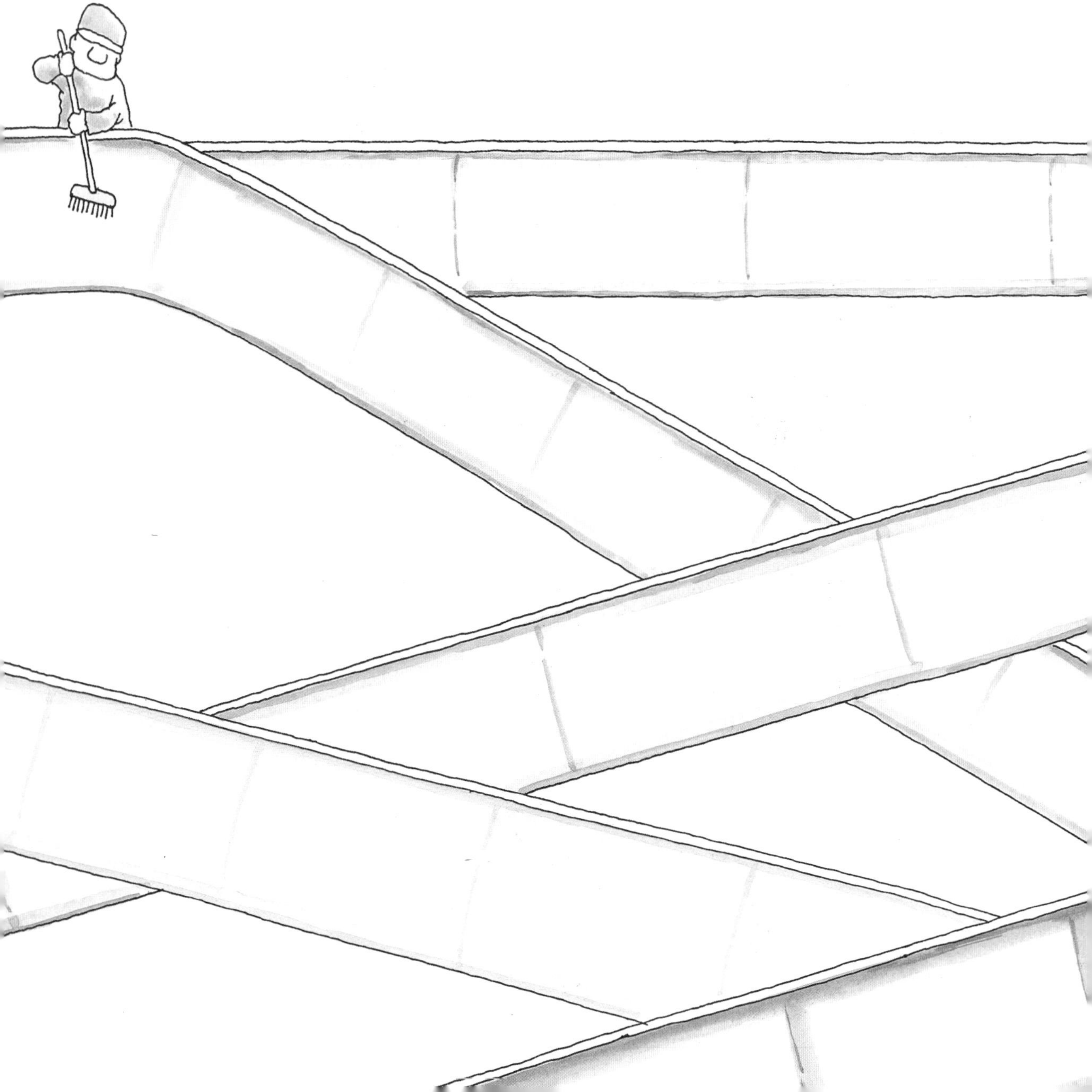

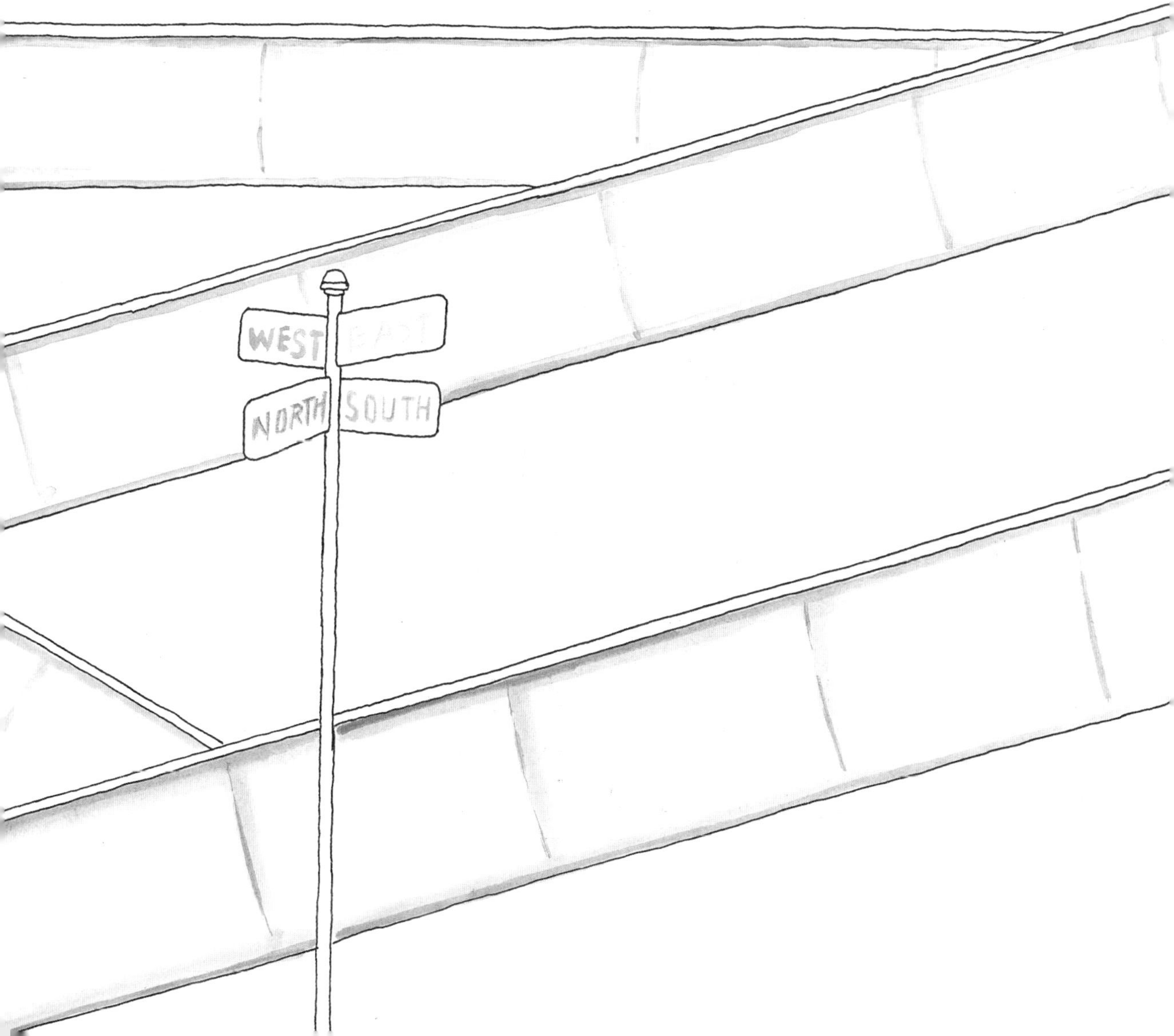
WEST
EAST
NORTH
SOUTH

编号：	书名：关于上班这件事
姓名：	性别：1. 男　2. 女
E-mail:	
学历：1. 小学　2. 初中　3. 高中　4. 大学 5. 研究生（含以上）	
职业：1. 学生　2. 公务员　3. 服务业　4. 大众传播业 5. 资讯业　6. 制造业　7. 金融业　8. 自由职业 9. 退休　10. 其他	
地址：________________ ________________ ________________ 邮编：________	

①

中信出版社
CITIC PUBLISHING HOUSE

地　　址：北京市朝阳区东外大街亮马河南路14号
塔园外交办公大楼

邮　　编：100600

服务热线：010-85322521
010-85322522

E-mail：sales@citicpub.com

请寄回这张服务卡，
您将有机会获得精美礼品赠送。

②

《关于上班这件事》关于您：

● 您被这本书吸引的原因是：（可复选）

□封面设计　□漫画内容　□书名
□彩色印刷　□其他

●您购买本书的地点是：

□一般书店　□网络书店　□超市
□邮购　□其他

●您喜欢本书的哪些内容？

□主题　□美术设计　□画风　□封面　□其他
（请依喜爱程度，以1.2.3.4.表示）

●如果1是最低分，5是最高分，您觉得本书值多少分________。

●您对本书的感想
（欢迎任何意见、敬请批评指教）

____
____
____
____
____
____
____
____
____
____
____

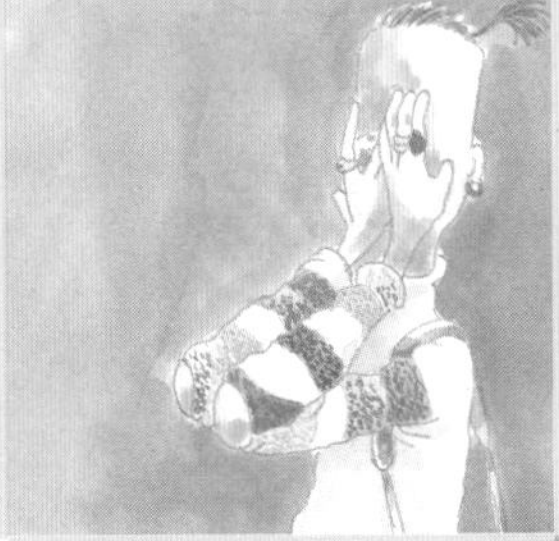

咫尺繁华，刹那人生，

一部能让你在城市上空飞行的新风格漫画

什么事都在发生
朱德庸◎作品
世界太大了，而我们的心太小。
什么事都在发生，
而我们这个时代还来不及什么都感觉到……
中信出版社
CITIC PUBLISHING HOUSE

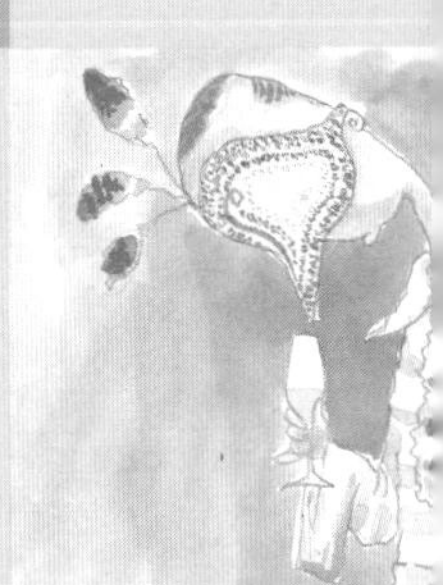

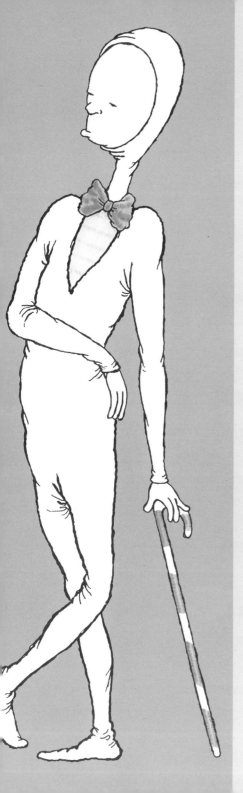

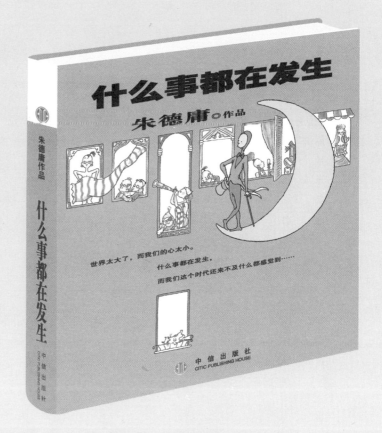

图书在版编目（CIP）数据

关于上班这件事 / 朱德庸著. —北京：中信出版社，2005.4
ISBN 7-5086-0384-2

Ⅰ. 关…　Ⅱ. 朱…　Ⅲ. 漫画–作品集–中国–现代　Ⅳ. J228.2

中国版本图书馆CIP数据核字（2005）第020650号

sina 新浪读书 http://book.sina.com.cn 新浪网独家门户网络支持

关于上班这件事
GUANYU SHANGBAN ZHEJIANSHI

著　　者：〔台湾〕朱德庸
责任编辑：张新华　玉晶莹
出 版 者：中信出版社（北京市朝阳区东外大街亮马河南路14号塔园外交办公大楼　邮编　100600）
经 销 者：中信联合发行有限责任公司
承 印 者：北京国彩印刷有限公司
开　　本：880mm×1230mm　1/24　印　　张：8.25　字　　数：37千字
版　　次：2005年4月第1版　印　　次：2005年9月第2次印刷
京权图字：01-2005-1717
书　　号：ISBN 7-5086-0384-2/F · 859
定　　价：27.00 元

凡购本社图书，如有缺页、倒页、脱页，由发行公司负责退换。服务热线：010–85322521
http://www.publish.citic.com　010–85322522
E-mail: sales@citicpub.com
author@citicpub.com